*Chère lectrice,*

En ce mois de mars, alors que nous attendons toutes avec impatience les premiers signes du printemps, n'est-ce pas le moment de se laisser emporter loin, très loin, quelque part où le soleil brûle aussi fort que la passion ? Cette passion qui va bouleverser la vie de nos héroïnes…

Je vous propose de vous emmener au cœur de l'océan Indien, sur cette petite île paradisiaque où Nicolaï Baranski, le si séduisant héros de *La mariée insoumise* (Michelle Smart, Azur n° 3445) a entraîné Rosa, son épouse de convenance, pour la convaincre par tous les moyens de renoncer à divorcer. Ce qu'il n'avait pas imaginé, c'est que, dans ce décor propice à l'amour, la passion les emporterait…

N'oubliez pas non plus de vous plonger dans le dernier tome de notre merveilleuse trilogie Le destin des Bryant. Dans *Irrésistible tentation* (Kate Hewitt, Azur n° 3453), c'est au tour d'Aaron, l'aîné et le plus mystérieux des frères Bryant, de découvrir l'amour auprès de Zoe, cette femme exceptionnelle qui n'a pas peur de lui tenir tête.

Très bonne lecture !

***La responsable de collection***

Fiancée sur contrat

MAGGIE COX

# Fiancée sur contrat

collection Azur

éditions HARLEQUIN

*Collection :* Azur

*Cet ouvrage a été publié en langue anglaise*
*sous le titre :*
IN PETRAKIS'S POWER

*Traduction française de*
YOHAN LEMONNIER-MEHEU



ÉDITIONS HARLEQUIN
83-85, boulevard Vincent Auriol, 75646 PARIS CEDEX 13.
Service Lectrices — Tél. : 01 45 82 47 47
www.harlequin.fr

ISBN 978-2-2803-0659-1 — ISSN 0993-4448

# 1.

— Billets, s'il vous plaît !

Natalie Carr venait tout juste de se laisser tomber dans son siège après avoir couru à en perdre haleine pour ne pas rater son train. Les joues rosies par la course et le souffle court, elle fouilla dans son immense sac de cuir rouge, faisant coulisser la fermeture Eclair de la poche intérieure, à la recherche de son billet. Incapable de mettre la main dessus et saisie par l'inquiétude, elle fut prise d'un vertige comparable à celui qu'elle aurait ressenti après une chute dans l'escalier. Le cœur cognant dans sa poitrine, elle releva la tête vers le contrôleur à qui elle offrit un sourire contrit.

— Je suis désolée... Il est forcément là quelque part...

C'était faux et elle le savait. Elle fouilla désespérément dans ses souvenirs : voyons, elle s'était arrêtée aux toilettes, juste avant de se précipiter pour attraper son train et... Et zut ! Après avoir vérifié son numéro de siège sur le billet, elle l'avait certainement rangé dans son enveloppe — estampillée première classe — sur le petit rebord, juste sous le miroir, le temps de retoucher son rouge à lèvres.

Une légère nausée la gagna à mesure qu'elle explorait vainement son sac.

— J'ai bien peur d'avoir perdu mon billet, reconnut-elle dans un soupir, je suis passée aux toilettes avant de monter dans le train et je l'ai sans doute oublié là-bas. Si nous étions encore à quai, je serais retournée le chercher mais…

— Désolé, mademoiselle, mais à moins de vous acquitter du prix d'un autre billet, vous devrez descendre au prochain arrêt. Vous allez également devoir me régler le montant de l'amende forfaitaire.

Le contrôleur rougeaud et grisonnant avait employé un ton officiel et sans équivoque : il serait sans doute insensible aux suppliques de Natalie. Si seulement elle avait eu la présence d'esprit de prendre un peu de liquide avec elle ! Son père lui avait fait parvenir ce billet de train, sans l'avertir au préalable, accompagné d'une lettre dans laquelle il la suppliait presque de *ne pas l'abandonner* dans cette *période sombre de sa vie*. Alors, sans vraiment prendre le temps de réfléchir, elle avait attrapé son porte-monnaie qui ne contenait que quelques pièces, plutôt que le portefeuille dans lequel elle rangeait sa carte de crédit.

— Mais je ne peux pas me permettre de descendre au prochain arrêt, monsieur ! s'écria-t-elle. Il est capital que je me rende à Londres aujourd'hui même. Je peux vous laisser mon nom et mon adresse, si vous voulez, et je vous réglerai cette somme dès mon retour ?

— Je crains que la politique de la compagnie ne soit très stricte à ce suj…

— Je vais payer le billet de cette dame. Est-ce un aller-retour ?

Surprise, Natalie porta la main à son cœur. Jusque-là, elle n'avait pas remarqué la présence d'un autre passager dans son compartiment. Comment était-ce possible ? Il était pourtant installé à une table, juste de l'autre côté du couloir. Certes, elle avait été absorbée par cette histoire de billet, mais de là à ne pas avoir remarqué ce voyageur ! Le genre d'homme qu'on ne pouvait pas ignorer. Tout chez lui révélait le gentleman distingué, depuis son eau de Cologne hors de prix jusqu'à son costume gris sombre à la coupe impeccable, tout droit sorti d'un défilé Armani.

Et même si l'on faisait abstraction de sa mise, son physique seul était saisissant. Ses cheveux blonds légèrement rebelles, sa peau brunie par le soleil et ses yeux aux reflets de saphir, sans doute capables de faire plier le monde à ses désirs. Une fossette donnait un air provocant à cet inconnu terriblement séduisant. Fixer son visage de statue grecque, c'était comme jouir de la contemplation d'un tableau de maître après la fermeture du musée.

Une fièvre soudaine et terriblement intime saisit Natalie qui se crispa malgré elle. Il fallait vraiment qu'elle soit sur ses gardes, à présent : elle ne connaissait cet homme ni d'Eve ni d'Adam, et ignorait tout autant pour quelle raison il offrait ainsi de payer son trajet. Après tout, les journaux étaient pleins de faits divers saisissants, contant les mésaventures de femmes abusées par des hommes soi disant respectables.

— C'est une offre très généreuse de votre part, mais je ne peux en aucun cas l'accepter, dit-elle. Je ne vous connais même pas.

— Eh bien, dans ce cas, je vous propose de nous débarrasser de ce désagrément tarifaire avant de faire plus ample connaissance, proposa l'étranger d'une voix teintée d'un léger accent, indéfinissable, qui ajoutait encore à sa distinction.

— Mais je ne peux pas vous laisser payer ce billet à ma place, j'insiste !

— Vous avez bien dit que ce voyage à Londres était capital, n'est-ce pas ? Alors est-il bien sage de refuser l'aide que l'on vous offre ?

Elle était coincée, et le séduisant étranger le savait comme elle. Mais elle continua de résister.

— C'est vrai, je dois absolument me rendre à Londres aujourd'hui. Il n'empêche que nous ignorons tout l'un de l'autre.

— Vous craignez peut-être de m'accorder votre confiance ?

Son sourire amusé ne fit qu'augmenter la gêne de Natalie.

Le contrôleur la rappela à l'ordre.

— Madame, voulez-vous ce billet, oui ou non ? demanda-t-il, agacé par ces atermoiements.

— Je ne pense pas que je…

L'étranger ne la laissa pas finir.

— Oui, madame prendra un billet, je vous remercie, dit-il à sa place.

Impossible de protester. Manifestement, il ne tiendrait pas compte de ses réticences. Non seulement cet homme avait les traits d'un Adonis des temps modernes, mais il possédait une voix basse et suave, un peu voilée, qui le rendait irrésistible. Elle qui avait décidé de se montrer méfiante commençait à voir sa résolution faiblir dangereusement.

— D'accord… vous êtes bien certain de vouloir faire ça ?

L'impératif de rejoindre Londres l'emportait sur toutes ses préventions. Et puis, son instinct lui soufflait que l'inconnu était quelqu'un de bien, qu'il ne représentait pas une menace — restait à espérer que son instinct ne la pousse pas à l'erreur.

Le contrôleur, lui, semblait stupéfait — comme s'il ne parvenait pas à comprendre pourquoi cet homme séduisant s'entêtait à vouloir payer le billet d'une fille parfaitement banale et qu'il n'avait jamais vue. Comment le blâmer ? Elle était attifée comme une bohémienne, ses cheveux séchés à la va-vite auraient eu bien besoin d'une couleur et elle était à peine maquillée. Pas vraiment le genre de femme à attirer l'attention d'un homme de la classe de celui qui se tenait face à elle. Dieu merci, elle portait au moins un peu de rimmel !

De toute façon, elle n'avait d'autre choix que d'accepter la générosité de cet étranger… Elle entendait encore la voix désespérée de son père lorsqu'elle l'avait appelé au téléphone pour confirmer qu'elle avait bien reçu le billet de train. Il en avait profité pour lui répéter combien il avait besoin d'elle. Cela lui ressemblait si peu d'admettre ses faiblesses, d'admettre que lui aussi était faillible, comme n'importe quel homme… Natalie s'était doutée qu'il avait cette fragilité en lui, mais qu'il l'avoue ainsi ! Un jour, bien des années auparavant, sa mère, furieuse, avait reproché à son père d'être incapable d'aimer quiconque, incapable d'admettre avoir besoin des autres. *Ton travail et ton besoin maladif de garnir ton compte en banque sont tes seules amours !* lui avait-elle jeté au visage. Le caractère obstiné de son père était sans doute pour beaucoup dans le divorce de ses parents…

Après leur séparation, quand sa mère avait décidé de retourner dans le Hampshire, la région de sa jeunesse, Natalie — alors âgée de seize ans — avait décidé de la suivre. Elle aimait son père, qui pouvait se montrer charmant et affable, mais c'était aussi quelqu'un d'imprévisible et sur qui l'on pouvait difficilement compter ; elle ne se voyait pas vivre avec lui. Ces dernières années, cependant, elle lui avait rendu visite autant qu'elle le pouvait et, à ces occasions, elle avait acquis la certitude qu'il avait enfin compris que l'argent ne pouvait pas remplacer l'amour d'un proche.

A plusieurs reprises, elle avait lu dans ses yeux combien il se sentait seul et combien sa famille lui manquait. Multiplier les jeunes conquêtes échouait à le rendre heureux. Durant les deux années qui venaient de s'écouler, lors de ses visites, elle avait perçu chez lui un désenchantement profond, y compris professionnel. Comme si l'empire hôtelier qui faisait sa fortune ne le comblait même plus.

— Je n'ai besoin que d'un aller simple, répondit Natalie à l'étranger.

Ce dernier ne sembla pas s'étonner qu'elle ait pris autant de temps pour se décider.

— Et inutile de prendre un billet de première classe.

C'est mon père qui avait réservé le mien, mais je me satisferai très bien de voyager en seconde, comme à mon habitude.

Sur ces mots, l'inconnu sortit sa carte de crédit. Quelle situation gênante… Et la gêne de Natalie grimpa encore d'un cran lorsqu'il ignora sa consigne en lui achetant un billet de première. Pourvu qu'il n'ait pas pris cette histoire à propos de son père pour un mensonge ; après tout, elle n'avait pas vraiment l'allure d'une passagère de première classe !

Et pourtant… son père aussi s'était certainement montré trop généreux. Sur ce point, elle pouvait lui faire confiance. Lui-même voyageait toujours en première, aussi lui avait-il sans doute semblé naturel de faire de même pour sa fille…

Le contrôleur procéda à la transaction puis leur souhaita à tous deux une bonne journée avant de prendre congé. L'étranger tendit alors à Natalie son billet avec un sourire. Par chance, le wagon était vide : Natalie aurait préféré que le sol s'ouvre sous ses pieds, plutôt qu'un autre voyageur soit témoin de cet acte de chevalerie.

Elle rougit en acceptant le sésame et attendit que le feu quitte ses joues.

— C'est très gentil à vous… Merci… Merci beaucoup.

— C'est un plaisir.

— Pourriez-vous me noter vos noms et adresse, afin que je puisse vous rembourser ? demanda-t-elle en fouillant déjà dans son sac à la recherche d'un papier et d'un crayon.

— Nous avons tout le temps pour ça. Pourquoi ne pas nous occuper de ce détail une fois arrivés à Londres ?

Natalie leva les yeux, stupéfaite. Mais, à court d'arguments et fatiguée de la tension que provoquait en elle cette situation, elle lâcha son sac et s'enfonça dans son siège avec un soupir las.

— Nous pourrions dissiper la gêne ambiante en

faisant les présentations, qu'en dites-vous ? proposa son compagnon de voyage avec un sourire désarmant.

— D'accord. Je m'appelle Natalie.

Pourquoi venait-elle de passer sous silence son nom de famille ? Elle n'aurait su le dire. Le charme de l'inconnu était-il à ce point troublant ? L'argument était faible. A quel jeu jouait elle, elle qui ne manquait jamais de critiquer ses amies qui perdaient leurs moyens lorsqu'un beau garçon leur adressait la parole et les couvrait de compliments ? Minauder, cela ne lui ressemblait pas. A choisir, elle préférait rester éternellement célibataire plutôt que de jouer les princesses.

— Et je suis Ludovic… mais mes amis m'appellent Ludo.

— Ludovic ? C'est peu commun.

— C'est le prénom de l'un de mes aïeux, expliqua l'Adonis en passant sur ce détail d'un haussement d'épaules élégant sous son costume impeccablement taillé. Et Natalie, est-ce également un prénom hérité de vos ancêtres ?

— Non. En réalité, c'est le prénom que portait la meilleure amie de ma mère à l'école. Elle est morte tragiquement lorsque ma mère était adolescente. C'est en souvenir d'elle que je porte ce prénom.

— C'est un beau geste. Si je puis me permettre… Quelque chose me dit que vous n'êtes pas britannique d'origine… est-ce que je me trompe ?

— Je suis à moitié grecque. Ma mère est née en Crète et elle y a grandi, mais elle avait dix-sept ans lorsqu'elle est arrivée en Angleterre pour trouver du travail.

— Et votre père ?

— Il est de Londres.

L'énigmatique Ludo leva un sourcil intéressé.

— Froide comme la Tamise et brûlante comme le ciel de la Méditerranée… Un mélange intrigant.

Le commentaire pouvait être mal interprété, mais Natalie fit de son mieux pour rester de marbre.

— On ne m'avait jamais présenté la chose de cette façon..., dit-elle.

A présent, comment lui faire comprendre — sans se montrer impolie — qu'elle espérait profiter d'un peu de tranquillité avant d'arriver à Londres ?

— Je vous ai froissée ? s'enquit l'énigmatique voyageur dans un murmure. Veuillez me pardonner, telle n'était pas mon intention.

— Non, pas du tout, c'est juste... que j'ai beaucoup de choses à passer en revue avant mon rendez-vous à Londres.

— Pour votre travail ?

Un sourire furtif fleurit malgré elle.

— Comme je vous l'ai dit, c'est mon père qui m'a fait parvenir ce billet de train, c'est lui que je dois rencontrer. Cela fait près de trois mois que nous ne nous sommes pas vus et la dernière fois que j'ai parlé avec lui, il semblait très perturbé... J'espère qu'il ne s'agit pas de sa santé. Il a déjà eu une attaque dans le passé, se souvint-elle en réprimant un frisson.

— J'en suis désolé. Vit-il en ville ?

— Ou... oui, tout à fait.

— Mais vous-même résidez dans le Hampshire...

— Oui... avec ma mère, dans un petit village du nom de Stillwater. Vous connaissez ?

— Mais oui ! Je possède même une maison à quelques kilomètres de là, dans un endroit qui s'appelle Winter Lake.

— Oh ! Quelle coïncidence...

Winter Lake était réputé pour être une enclave dorée au sein des Hampshire. Les gens du coin l'appelaient *le Coin des Millionnaires*. Donc, Natalie avait vu juste ; Ludovic était bien un nanti. En avoir la confirmation la mit vaguement mal à l'aise.

Il se pencha légèrement en avant, le bras posé sur l'accoudoir. A son auriculaire brillait une lourde bague en or massif sertie d'un onyx — sans doute une chevalière de famille. Mais elle fut surtout attirée par son regard couleur saphir.

— Si vous vivez avec votre mère, j'en déduis que vos parents doivent être divorcés, reprit-il.

— En effet. Mon père et moi avons du temps à rattraper.

— Vous êtes proches ?

La question était inattendue. Prise au dépourvu, Natalie plongea dans le regard insondable de Ludovic sans savoir quoi répondre. Pouvait-elle lui faire confiance ?

— Nous l'étions énormément lorsque j'étais plus jeune. Après leur divorce, les choses ont été… compliquées pendant un moment, mais nos rapports se sont apaisés ces dernières années. Et puis, c'est mon père, je n'en ai pas d'autre et je me fais du souci pour lui. C'est la raison pour laquelle je me rends à Londres ; je veux savoir ce qui le perturbe à ce point.

— Vous êtes à l'évidence une fille aimante et dévouée. Votre père a de la chance…

— Je me *comporte* comme une fille aimante et dévouée, mais je vous avoue que certains jours sont plus pénibles que d'autres. Il se montre parfois tellement imprévisible ! Et son caractère est… complexe, expliqua-t elle en rougissant de cette confession faite à un étranger.

Qu'est-ce qui lui passait par la tête ? Pourquoi confiait-elle des détails aussi intimes à cet inconnu ? Afin de chasser son inquiétude naissante, elle l'interrogea à son tour.

— Etes-vous père, vous-même ? Je veux dire… avez-vous des enfants ?

Sa bouche s'arqua légèrement en une grimace et Natalie regretta aussitôt d'avoir posé la question. Sans doute avait-elle franchi la ligne rouge.

— Non. De mon point de vue, les enfants ont besoin d'un environnement stable et pour le moment, ma vie est beaucoup trop agitée pour fournir ce genre de cadre.

— Et puis cela implique aussi une relation suivie et solide, non ?

Une lueur d'amusement passa dans le regard bleu acier de Ludo. Il ne semblait pas décidé à partager avec elle les détails de sa vie sentimentale. Pourquoi l'aurait-il fait, du reste ? Après tout, elle n'était rien d'autre qu'une fille banale qui avait eu la bêtise d'oublier son billet dans les toilettes pour dames et qu'il avait eu la gentillesse de dépanner.

— Certes, dit-il tout de même.

Une réponse laconique qui ne faisait qu'épaissir le mystère. Natalie sentit que leur conversation risquait de les plonger dans une gêne croissante. Elle réprima un bâillement, qu'elle mit aussitôt à profit pour se ménager une porte de sortie.

— Je crois que je vais fermer les yeux un moment, si ça ne vous ennuie pas. Je suis sortie dîner hier soir avec une amie, pour son anniversaire, et je suis rentrée tard. On dirait bien que le manque de sommeil me rattrape.

— Allez-y, reposez-vous, j'ai moi-même du travail en retard, lança Ludo en ouvrant l'écran de l'ordinateur portable posé sur la tablette devant lui. Nous reprendrons cette conversation plus tard.

Ces derniers mots sonnèrent comme une promesse aux oreilles de Natalie.

Elle s'enfonça dans son siège et, tandis que la voix chaude et suave de Ludo continuait de résonner dans sa tête, elle ne tarda pas à fermer les yeux et à s'endormir.

*Dans le vaste jardin arboré de la maison de son enfance, à Londres, son père la fait tourner dans ses bras en riant. Elle crie de joie.*

*— Arrête, papa, arrête, tu me donnes le tournis ! s'écrie-t-elle.*

*Au-dessus d'elle, le ciel bleu tournoie et le soleil baignant son visage l'emplit de bien-être. Quelque part non loin de là, des oiseaux chantent. Sa mère interrompt leurs jeux en leur annonçant que le thé est prêt…*

Le rêve émouvant s'acheva de façon aussi abrupte qu'il avait commencé et Natalie regretta de ne pas parvenir à retenir ces images. Lorsqu'elle était enfant, elle avait la conviction sincère que la vie était merveilleuse. Elle s'était toujours sentie en sécurité, choyée par des parents heureux.

Le rêve se dissipa et elle entendit les portes du compartiment s'ouvrir. Tout à fait réveillée désormais, elle vit un membre du personnel de bord entrer en poussant un chariot à rafraîchissements. Il s'agissait d'une jeune femme mince et souriante au chignon impeccable.

— Désirez vous une boisson ou un en-cas, monsieur ? demanda-t-elle à Ludo.

L'intéressé adressa à Natalie un petit haussement de sourcil complice.

— Je vois que vous êtes revenue du pays des songes. Etes-vous d'humeur à boire un café et à avaler un sandwich ? Il est presque midi.

— Vraiment ? Déjà ?

Encore un peu cotonneuse, elle se redressa et consulta sa montre. Elle avait dormi presque une heure, constata-t-elle avec effarement.

— Une tasse de café, ce sera parfait, annonça-t-elle en prenant son porte-monnaie.

— Laissez, c'est pour moi, l'interrompit-il. Comment aimez-vous votre café ? Noir ou sucré ?

— Un sucre, s'il vous plaît.

— Et que diriez-vous d'un sandwich ?

Il se tourna vers l'hôtesse de bord.

— Pourrais-je voir le menu, je vous prie ?

La jeune femme s'exécuta et Ludovic tendit aussitôt le dépliant à Natalie. Elle fut sur le point de refuser lorsque son estomac la trahit de la façon la plus sonore qui soit. Le rouge aux joues, elle parcourut le menu des yeux.

— Je prendrai un sandwich jambon et moutarde au pain blanc, s'il vous plaît.

— Moi également. Et ajoutez un café noir au café sucré, je vous prie.

Il attendit que la jeune femme ait préparé leur commande, puis qu'elle ait quitté le compartiment pour s'adresser de nouveau à Natalie.

— Vous avez eu un sommeil agité.

Le sang de Natalie se glaça. Elle se souvint de son rêve et supposa que ses cris n'avaient peut-être pas été uniquement oniriques.

— Vous voulez dire que j'ai parlé en dormant ?

— Non, mais vous avez gentiment ronflé en revanche, plaisanta-t-il.

Cette fois, elle aurait vraiment voulu que le sol s'ouvre sous ses pieds et l'avale. Sa gêne était telle qu'elle remarqua à peine le magnifique paysage verdoyant que traversait le train.

— Je ne ronfle pas. Je n'ai jamais ronflé de ma vie, se défendit-elle.

Face au sourire de Ludo, elle se crut forcée d'ajouter :

— En tout cas, pas que je sache.

— Votre petit ami est sans doute trop poli pour vous l'avoir avoué, hasarda-t-il en avalant une gorgée de café.

Ce petit jeu ne l'amusait pas du tout et c'est en fixant le profil parfait de son interlocuteur qu'elle répliqua :

— Je n'ai pas de petit ami, et même si c'était le cas, comment pourriez-vous savoir si…

Il l'interrompit au milieu de sa phrase en tournant vers elle le laser bleu de ses pupilles.

— … si vous dormez ensemble ? acheva-t-il.

Elle n'avait aucunement l'intention de passer pour une oie blanche auprès de cet homme raffiné et aussi éloigné d'elle socialement que la terre l'était de Jupiter. Aussi se donna-t-elle une contenance en mordant à belles dents dans son sandwich et en remuant énergiquement son café.

— C'est excellent, je ne m'étais pas rendu compte à quel point j'avais faim. Je n'aurais sans doute pas dû sauter le petit déjeuner.

— On ne devrait jamais manquer ce repas capital.

— C'est ce que ma mère me dit toujours.

— Vous m'avez dit qu'elle était crétoise, c'est bien ça ?

Natalie sautait désormais sur le moindre sujet superficiel pour oublier sa gêne, et puis même si elle n'avait visité le pays qu'une poignée de fois, elle avait grandi bercée par les histoires merveilleuses que lui contait sa mère. Aussi ne se lassait-elle jamais d'évoquer la Grèce.

— En effet. Y êtes-vous déjà allé ?

— Oui. C'est une île magnifique.

— Je n'y suis pas allée souvent, mais j'adorerais y retourner, s'enthousiasma-t-elle, son regard émeraude vibrant d'émotion, mais le temps passe et le travail et le quotidien prennent le pas sur nos rêves…

— Vous semblez avoir une carrière très accaparante.

— On ne peut pas vraiment parler de carrière, expliqua-t-elle en souriant, mais je suis heureuse là où je suis. Ma mère et moi gérons ensemble un petit gîte florissant…

— Et quelle est la partie de cette activité qui vous apporte le plus de satisfaction ? L'accueil de vos hôtes, la préparation des repas et des chambres ? A moins que ce ne soit la partie gestion ?

En privé, Natalie admettait que la réussite professionnelle de son père et sa façon de mener ses affaires l'avaient inspirée dans sa propre pratique. En grandissant, et avant le divorce de ses parents, elle avait glané quelques astuces auprès de lui.

— Un peu des deux, j'imagine, mais c'est ma mère qui gère l'essentiel de l'accueil des résidents. C'est une hôtesse hors pair et un véritable cordon-bleu ; les clients l'adorent. De mon côté, je m'assure que l'affaire est pérenne et que tout tourne sans à-coups. Cet aspect me vient plus naturellement qu'à elle, sans doute.

— Donc… vous aimez diriger, supposa Ludo avec une étrange lueur dans le regard.

Son commentaire instilla chez Natalie une étrange sensation d'inconfort. Donnait-elle l'impression qu'elle se vantait ?

— Je passe pour quelqu'un de très strict, c'est ça ?

Son bel interlocuteur secoua négativement la tête.

— Absolument pas. Vous n'avez aucune raison de rougir de votre capacité à diriger le navire… surtout dans le cadre du travail. Il faut toujours quelqu'un pour prendre les décisions ; de mon point de vue, vous possédez là un talent tout à fait admirable.

— Merci.

Elle accueillit avec une satisfaction timide ce compliment inattendu et songea alors que Ludo avait révélé bien peu de choses sur sa propre vie, tout en l'incitant, elle, à se confier. Etait-il psychologue de métier ? Ses manières assurées et ses vêtements de prix laissaient penser que quelle que soit sa profession, elle lui rapportait des fortunes. Elle avait réellement envie d'en savoir plus à son sujet. Du reste, quelle femme censée n'aurait pas souhaité en apprendre davantage sur un tel Apollon ? Le moment était sans doute venu d'inverser la vapeur et de *lui* poser quelques questions.

— Me permettrais-je de vous demander ce que vous-même faites dans la vie ?

Ludo cilla avant de fixer un point dans le lointain pendant d'interminables secondes. Puis il se tourna vers elle et lui adressa l'un de ses sourires hypnotiques. Elle sentit son cœur bondir dans sa poitrine, le regard captif de ses deux orbes magnétiques.

— Mon activité est multiple. Je m'intéresse à beaucoup de choses, Natalie.

— Vous dirigez donc une entreprise ?

Il eut un vague haussement d'épaules. Pourquoi rechignait-il autant à se livrer ? Craignait-il qu'elle s'intéresse à lui uniquement pour son argent ? Cette idée la révoltait, surtout venant d'un homme qui avait fait preuve d'une générosité rare en payant son billet ; peu de gens auraient eu ce genre de geste désintéressé.

— Je ne voudrais pas gâcher le plaisir inattendu de ce voyage en parlant de moi. Vous êtes un sujet infiniment plus passionnant.

— Je vous en ai déjà dit beaucoup. Vous connaissez ma profession.

— Mais votre métier ne me dit pas qui vous êtes… J'aimerais en savoir plus sur votre vie, sur les choses qui vous intéressent.

Cette fois, Natalie piqua un fard pour de bon. Il venait de la prendre complètement à contre-pied. Si l'on ajoutait à cela l'aveu qu'il prenait du plaisir à voyager avec elle… Pour un peu, la tête lui aurait tourné de tant de compliments. La dernière fois qu'elle avait ressenti ce genre de vertige, c'était au collège, lorsqu'un garçon pour qui elle craquait l'avait embrassée. Elle s'était désintéressée de lui au bout de quelques mois, mais elle n'avait jamais oublié la fierté et le frisson que lui avait procuré ce baiser à la fois tendre, innocent et hardi.

Elle toucha machinalement ses cheveux en baissant les yeux, et sentit le regard de Ludo peser sur elle. Que ressentait-on en embrassant un homme tel que lui ? C'était certainement autre chose que le baiser d'un adolescent inexpérimenté…

Elle prit une brève inspiration pour chasser cette idée.

— J'imagine que vous voulez parler de mes passe-temps favoris ? Si je vous les révélais, je suis sûre que vous les trouveriez ennuyeux et d'une banalité affligeante.

— Je prends le risque, répondit-il avec un sourire qui l'invitait à poursuivre.

*Quand vous me regardez comme ça, je n'arrive pas à penser à autre chose qu'à la fossette de votre menton qui se creuse lorsque vous souriez*, faillit-elle lui répondre à voix haute.

Natalie détourna le regard, troublée par l'onde brûlante qui venait de la traverser. Il lui fallut quelques secondes pour recouvrer ses esprits.

— J'apprécie les plaisirs simples : la lecture, ou le cinéma. Un bon film me permet d'oublier les soucis du quotidien et de me plonger dans le récit de la vie de quelqu'un d'autre — et ce n'est que mieux si l'histoire me plaît. J'aime aussi écouter de la musique ou faire de longues promenades en forêt ou sur la plage.

— Je ne vois rien là d'ennuyeux ou de banal, jugea Ludo en arquant ses lèvres fines dans un sourire discrètement charmeur. Et puis, ce sont les petites choses de l'existence, celles que l'on remarque à peine, qui en font tout le sel. J'aimerais, pour ma part, que la vie me laisse plus de temps pour en profiter.

— Est-ce si compliqué de libérer du temps pour cela ? Vous n'êtes tout de même pas occupé en permanence ?

Ludo plissa le front et sembla réfléchir à sa question pendant un temps anormalement long, tout en l'observant avec une intensité presque gênante. Embarrassée, elle consulta sa montre pour se donner une contenance.

— Nous arriverons à Londres d'ici peu, annonça-t-elle.

Elle se tourna vers le siège où elle avait posé son sac et y chercha un papier et un crayon.

— Pourriez-vous me donner votre nom et votre adresse afin que je vous rembourse le billet ?

— Cela peut attendre que nous soyons descendus du train.

Il mordit dans son sandwich, manifestement persuadé qu'elle n'insisterait pas. Mais elle décida de le faire malgré tout. Pourquoi remettre cela à plus tard ? *Paie toujours tes dettes*, lui avait enseigné sa mère.

Pensive, Natalie se réfugia dans un silence résigné. Voyant qu'elle ne mangeait pas, Ludo plissa les sourcils.

— Vous devriez terminer votre repas, lui conseilla-t-il, vous avez déjà sauté le petit déjeuner, vous feriez bien de prendre des forces pour l'entrevue pénible qui s'annonce avec votre père.

— Pénible ?

— Disons, riche en émotions. Si sa santé s'est détériorée, alors la discussion risque d'être assez pesante pour vous deux.

La remarque de Ludo lui glaça les veines. Les médecins avaient-ils posé un diagnostic peu optimiste ? Etait-ce pour cette raison que son père la réclamait auprès de lui ? C'était sa hantise. Leur relation avait eu des hauts et des bas, mais elle adorait son père et elle était terrifiée à l'idée qu'il puisse lui être enlevé alors qu'il n'avait qu'une petite soixantaine d'années.

— Vous avez raison, cette discussion risque d'être riche en émotions, approuva-t-elle avant de croquer dans son sandwich.

— Je suis persuadé que quoi qu'il arrive, vous trouverez un réconfort mutuel l'un auprès de l'autre.

A cet instant le téléphone de Ludo sonna. Il répondit à son interlocuteur à voix basse, la main masquant sa bouche, puis se tourna vers Natalie.

— Je suis désolé, il faut que je prenne cet appel. Je vais sortir quelques instants.

Lorsqu'il se leva, Natalie fut surprise par sa haute taille : il frôlait le mètre quatre-vingt-dix. Le costume italien taillé sur mesure masquait mal un corps athlétique parfaitement entraîné, dont elle avait toutes les peines du monde à détacher le regard. Elle se rendit compte qu'elle devait avoir l'air d'une lycéenne face à une star du rock et s'évertua à paraître détendue.

— Je vous en prie, faites donc.

Les portes du compartiment s'ouvrirent dans un bruit de compression pneumatique.

— Et surtout n'en profitez pas pour vous enfuir, d'accord ? lui demanda-t-il en se retournant vers elle, une étincelle indescriptible dans le regard.

# 2.

— Je suppose que les papiers sont prêts ?

Tout en posant la question, Ludo passa en revue toutes les informations qu'il avait pu réunir avec l'esprit aiguisé qui le caractérisait et qui lui permettait d'analyser chaque situation avec une acuité parfaite.

Au bout du fil, Nick, son assistant, lui confirma que tout était en ordre. Ludo caressa son menton parfaitement rasé.

— Et avez-vous planifié la réunion pour demain, comme je vous l'ai demandé ?

— Oui, c'est fait. J'ai prié le client et son avocat de passer au bureau à 10 h 45, selon vos instructions.

— Vous n'avez pas oublié de mettre Godrich, mon propre avocat au courant, j'imagine ?

— Je m'en suis chargé.

— Parfait. Eh, on dirait que vous vous êtes occupé de tout ! Je repasserai au bureau cet après-midi pour vérifier une dernière fois les documents. A tout à l'heure.

Ludo raccrocha et s'adossa à la paroi du wagon, incapable de se débarrasser de ce frétillement nerveux qui envahissait sa poitrine. Cela ne lui ressemblait pas d'être aussi tendu et cela n'avait rien à voir avec le coup de fil qu'il venait de passer. Conclure des contrats et racheter des entreprises en difficulté faisait partie de son quotidien. Il avait la réputation méritée de savoir changer le plomb en or. C'était de cette façon qu'il avait acquis sa fortune.

Non, c'était cette passagère inconnue qui le mettait

dans cet état. Il avait été absorbé par ses grands yeux, scintillants comme deux bassins noyés de soleil. Comment ce petit bout de femme à la taille de ballerine et aux longs cheveux pouvait-elle l'électriser à ce point ?

Elle était si différente des grandes blondes et des rousses sculpturales qui l'attiraient d'ordinaire ! Mais il y avait pourtant chez elle quelque chose d'irrésistible. A l'instant même où il avait entendu le timbre de sa voix, il était tombé sous le charme. Et puis elle était à moitié grecque ! Incroyable comme tout s'ajustait à merveille !

Ludo nota du coin de l'œil plusieurs appels en absence sur son portable, mais il éteignit l'écran d'un geste impatient et tourna son regard vers le paysage qui défilait derrière la fenêtre. L'ancien et le moderne s'y côtoyaient, les bâtiments industriels cédant peu à peu la place aux gratte-ciel modernes, signe qu'ils approchaient de la ville. Il allait devoir prendre une décision. Devait-il céder à la puissante attirance qu'il ressentait pour elle ? Il ne faisait aucun doute que la belle Natalie était déterminée à lui rembourser le trajet, mais il était toujours réticent à donner son adresse à des personnes inconnues… aussi séduisantes soient-elles.

Elle l'avait touché au cœur à l'instant même où elle avait franchi les portes du compartiment, hors d'haleine, nimbée de ce parfum subtil de mandarine et de rose. Pour autant, Ludo n'était pas le genre d'homme à prendre des décisions hâtives… sauf dans le domaine professionnel, où il avait coutume de suivre son instinct. Concernant sa vie sentimentale, c'était une autre affaire. Le désir sexuel pouvait être très mauvais conseiller, il en avait fait les frais dans le passé. Tant qu'il s'agissait de satisfaire sa libido, tout allait bien, mais il n'avait pas le temps pour une liaison compliquée.

Ludo n'hésitait jamais à couvrir ses conquêtes de vêtements de haute couture et de joyaux somptueux, mais il avait appris à ses dépens que le beau sexe en voulait toujours plus que ce qu'il était prêt à donner. C'était le mariage qui revenait le plus souvent sur le tapis. Même son immense fortune ne pouvait le protéger d'une rupture éventuelle. Les femmes avaient parfois des attentes qu'il savait ne pouvoir combler. Alors il traînait les pieds, malgré l'insistance de sa famille à le voir marié.

Sa mère ne souhaitait rien tant que devenir grand-mère. Il avait trente-six ans, il était son unique fils et il savait combien son manque d'enthousiasme la décevait. Elle attendait désespérément qu'il trouve une fille convenable — c'est-à-dire qui lui convienne à elle et à son époux. Difficile, cependant, de trouver une femme aimante et attentionnée, motivée davantage par la perspective de fonder un foyer que par celle d'acquérir une fortune colossale. Malheureusement, sa réputation avait tôt fait de le précéder et d'attirer à lui le genre de femmes ambitieuses et vaniteuses qu'il s'appliquait à éviter.

La vérité, c'était qu'il était las de ce manège sans fin et qu'au fond de son cœur, il rêvait de trouver l'âme sœur. Quelqu'un de doux, d'intelligent, une femme dotée d'un solide sens de l'humour et d'une nature généreuse… Ses pensées revinrent ainsi vers Natalie. S'il s'engageait dans une relation avec elle et qu'elle venait à apprendre qu'il était une sorte de Crésus moderne, comptant parmi ses amis les hommes d'affaires les plus influents d'Europe, il n'aurait alors plus aucun moyen de savoir si elle restait avec lui par intérêt ou si ses sentiments étaient sincères. Il avait déjà commis l'erreur d'avouer qu'il résidait du côté de Winter Lake, un quartier chic, mais le fait qu'il voyage en première classe et ait offert de payer son billet était de toute façon une preuve tangible de son aisance financière.

A ce sujet, n'avait-elle pas dit que son père avait payé le billet pour elle ? Etait-ce un homme riche ? Sans doute. Dans ce cas, la jolie Natalie avait dû être habituée à un certain niveau de confort avant le divorce de ses parents.

Serait-elle prête à s'engager dans une relation avec quelqu'un d'aussi aisé — voire plus — que ces derniers ?

Ludo opta pour une solution intermédiaire : il lui demanderait son numéro de téléphone, ce qui lui épargnerait de fournir sa propre adresse. Ainsi, serait-il en position de contrôler l'évolution de leur situation. S'il la suspectait à n'importe quel moment d'être une coureuse de dot, il n'aurait aucun scrupule à la laisser tomber sans prévenir. D'ici là, ils pourraient tout à fait boire un verre ensemble à Londres, sous le prétexte légitime de la laisser rembourser sa dette ferroviaire. Si par la suite les choses évoluaient dans le bon sens entre eux, Ludo serait ravi de lui fournir plus d'informations à son sujet, comme son adresse, par exemple.

Satisfait de sa décision, il poussa un soupir de soulagement, passa une main dans ses cheveux parfaitement coiffés et rangea son téléphone dans la poche doublée de soie de sa veste. Avant de franchir la porte vitrée menant au compartiment, il observa la brune aux yeux de biche qui rêvassait en regardant le paysage défiler, le menton posé sur la main. Ludo sourit malgré lui en songeant qu'elle ne refuserait sans doute pas le rendez-vous qu'il s'apprêtait à lui proposer. Pourquoi refuserait-elle ?

— Je ne comprends pas. Vous voulez m'inviter à boire un verre ?

Natalie n'en revenait pas. Elle devait avoir compris de travers ce que venait de dire le bel Adonis souriant qui se tenait face à elle dans le couloir bondé. La surprenante proposition de Ludo avait franchement des allures de rendez-vous galant. Mais pourquoi diable ferait-il une chose pareille ?

Quasiment toutes les femmes qui descendaient du train lui jetaient un regard à la dérobée, attirées par sa prestance et son élégance. Nul doute qu'elles se demandaient comment une fille aussi ordinaire qu'elle pouvait retenir l'attention d'un homme tel que lui.

— En effet.

Le cœur de Natalie manqua un battement, sous le poids de ce regard énigmatique. Elle se sentait aussi fragile qu'un arbuste peinant à demeurer enraciné au sol. Elle serra son imposant sac rouge sur sa poitrine, comme un bouclier protecteur. Alors que la proposition de Ludo aurait dû renforcer sa confiance en elle, elle produisait l'effet inverse. Elle se sentait insignifiante et ridicule dans son jean délavé et ses vêtements de hippie, face à l'élégance de son costume italien sur mesure.

— Pourquoi ? Je vous ai juste demandé votre adresse afin de vous expédier le remboursement de mon billet de train. Vous m'avez laissé entendre que vous étiez un homme très occupé. Pourquoi vous fatiguer à m'inviter alors que je peux vous envoyer un chèque par la poste ?

Ludo sembla surpris. Manifestement, il n'était pas habitué à ce qu'une femme décline son invitation.

— Il ne s'agit pas uniquement d'argent, Natalie, j'aimerais avoir le plaisir de vous revoir, affirma-t-il avec aplomb, aviez-vous envisagé cette éventualité ? C'est vous qui m'avez laissé entendre — pour reprendre votre expression — que vous étiez célibataire, vous vous souvenez ?

Oh que oui, elle s'en souvenait. Elle avait avoué ne pas avoir de petit ami lorsqu'ils avaient évoqué cette histoire de ronflements nocturnes. Elle rougit aussitôt en repensant à cet épisode embarrassant.

Elle pressa une nouvelle fois son sac contre sa poitrine et affronta le regard tranquille et terrible qui pesait sur elle.

— Et vous, êtes-vous célibataire ? le défia-t-elle. Pour ce que j'en sais, vous pourriez aussi bien être marié et avoir six enfants !

Ludo bascula la tête en arrière et laissa échapper un

rire bref et joyeux. Jamais l'hilarité d'un homme n'avait été aussi sensuelle à ses oreilles. C'était comme s'il venait d'effleurer sa peau avec la plus douce des plumes. Elle fut alors saisie par le besoin impérieux et viscéral de le revoir… même s'il évoluait dans un univers très éloigné du sien.

— Je vous assure que je ne suis pas marié et que je n'ai pas d'enfant. Je vous ai pourtant dit que je suis bien trop occupé pour ça, vous ne me croyez pas ?

Une fois encore, l'expression de Ludo se fit sérieuse. Natalie constata que le train était désormais presque vide et qu'ils n'étaient plus le centre d'intérêt de voyageuses trop curieuses.

— J'espère simplement que vous me dites la vérité, voilà tout. A mes yeux, l'honnêteté est capitale. Bon, disons que j'accepte, où voulez-vous boire ce verre ?

— Combien de temps avez-vous l'intention de rester à Londres ?

— Quelques jours, pas plus… A moins bien sûr que mon père n'ait besoin plus longtemps de ma présence, répondit-elle d'une voix dont elle ne parvenait pas à réprimer les trémolos à l'idée que son père puisse être malade.

Elle n'avait aucune envie de s'étendre sur le sujet ou de laisser Ludo l'interroger à propos de son père, aussi enchaîna-t-elle en souriant.

— Mais bon, nous verrons bien, pas vrai ?

— Si vous comptez repartir d'ici à quelques jours, cela ne nous laisse que peu de temps. Je vous propose donc de nous revoir demain soir. Qu'est-ce que vous en dites ? proposa-t-il avec une étincelle de satisfaction dans le regard. Je peux nous réserver une table au Claridge. Quelle heure vous conviendrait ?

— Le Claridge… le restaurant ? Je croyais qu'on devait simplement prendre un verre ?

— J'imagine que vous dînez le soir, non ?

— Bien sûr, mais…
— A quelle heure ?
— Vers 20 heures…
— Voilà, c'est réglé, 20 heures. Donnez-moi votre numéro de portable afin que je puisse vous prévenir si j'ai un peu de retard.

Natalie eut un moment d'hésitation.

— Très bien, je vous le donne, mais gardez à l'esprit que c'est peut-être moi qui serai en retard, peut-être même devrai-je annuler si mon père ne se sent pas bien… J'aurais donc également besoin de votre numéro.

Ludo acquiesça sans hésiter, en affichant l'un de ses sourires énigmatiques.

Elle ne s'était jamais habituée à ce qu'un portier la fasse pénétrer dans le grand immeuble victorien où résidait son père. Natalie avait chaque fois le sentiment d'être une usurpatrice, une intruse. Le contraste entre le style de vie de ses deux parents était flagrant. Sa mère était une architecte d'intérieur consciencieuse, qui savait profiter des petites joies de l'existence, tandis que son père était un pur hédoniste sans doute un peu trop attaché aux biens matériels. C'était un bourreau de travail, mais il avait tendance à prendre des risques financiers inconsidérés. Natalie repoussa ces considérations tandis que l'ascenseur l'emportait vers le dernier étage de l'immeuble, saisie par l'inquiétude à l'idée de ce que son père allait lui annoncer.

Lorsque Bill Carr ouvrit la porte pour l'accueillir, son expression confirma les pires craintes de Natalie. Il avait pris un terrible coup de vieux depuis la dernière fois qu'ils s'étaient vus. Cela ne datait que de trois mois, mais le changement était si brutal qu'à le voir, il semblait que trois années s'étaient écoulées. Son père était un bel homme élégant, distingué et de haute stature. Il avait un faible pour les costumes à la coupe classique de Savile Row et sa chevelure argentée était toujours parfaitement entretenue… *sauf aujourd'hui.* Il avait le cheveu en bataille, sa chemise était froissée et il donnait l'impression d'avoir dormi avec. Elle avisa avec inquiétude une bouteille de whisky et l'haleine de son père lorsqu'il la salua confirma qu'il était alcoolisé.

— Natalie ! Dieu merci tu es venue, ma chérie. Je commençais à devenir fou à l'idée que tu puisses ne pas faire le déplacement.

Il la prit dans ses bras et la serra contre son cœur. Elle laissa son sac glisser au sol et fit son possible pour se détendre. S'il avait cherché le réconfort au fond d'une bouteille de bourbon, c'était que la situation était vraiment grave, elle afficha donc un sourire chaleureux.

— Je ne te laisserai jamais tomber, papa.

Elle déposa un baiser sur sa joue et perçut l'odeur familière de son après-rasage qui se mêlait de façon inélégante avec les relents d'alcool.

— Tu as fait bon voyage ? demanda-t-il en refermant la porte derrière elle.

— Oui, merci. C'était agréable de voyager en première classe, mais tu n'aurais pas dû dépenser cet argent pour ça, tu sais.

Les circonstances gênantes de sa rencontre avec Ludo lui revinrent aussitôt à l'esprit. Ludo, pour Ludovic, avait-il dit. Natalie se prit à rêver, l'espace de quelques secondes… Elle aimait ce prénom, elle l'aimait vraiment beaucoup. Il avait un je-ne-sais-quoi de mystérieux qui convenait à merveille à son propriétaire. Ils ne s'étaient pas appelés par leurs surnoms respectifs, mais chaque instant de leur voyage en commun resterait à jamais gravé dans sa mémoire. Elle avait été particulièrement impressionnée par sa voix sensuelle, son ton cultivé et ses magnifiques yeux de saphir. Son cœur fit un bond lorsqu'elle se souvint qu'elle devait dîner avec lui le lendemain.

— J'ai toujours voulu le meilleur pour toi, ma chérie… et mon divorce d'avec ta mère n'y a rien changé. Comment se porte-t-elle, d'ailleurs ?

L'expression étrangement habitée de son père la ramena soudain au présent. Elle y lut la blessure encore vive de leur séparation. La gorge sèche, elle ressentit pour lui une grande tendresse en songeant à cette douleur qu'il portait comme un fardeau.

— Oui, elle va très bien. Elle espère qu'il en est de même pour toi.

Il eut un haussement d'épaules.

— C'est une femme bien, ta mère, répondit-il en grimaçant, je n'en ai pas connu de meilleure de toute ma vie. J'ai été stupide de ne pas le voir lorsque nous étions encore ensemble. Quant à savoir si tout va bien pour moi… ça me tue de te l'avouer, ma chérie, mais non, ça ne va pas très fort. Suis moi dans la cuisine, je vais te préparer une tasse de café et t'expliquer ce qui se passe.

L'aveu de son père lui avait fait froid dans le dos, confirmant ses pires craintes. Les jambes tremblantes, elle lui emboîta le pas et l'accompagna dans sa cuisine moderne et rutilante. Il renversa un peu d'eau sur sa chemise en préparant le café et… Etait-ce son esprit qui lui jouait des tours où les mains de son père tremblaient-elles réellement lorsqu'il brancha la cafetière ? Il saisit son verre de whisky et se laissa tomber sur un tabouret.

— Qu'est-ce qui se passe, papa ? Est-ce que tes douleurs à la poitrine sont revenues ? C'est pour ça que tu voulais me voir en urgence ? Explique-moi, je t'en prie !

Il avala le reste de son verre d'une traite, avant de le reposer bruyamment sur le comptoir, puis il se massa les orbites. Un silence inconfortable tomba entre eux, le temps qu'il rassemble ses esprits.

— Cette fois, il ne s'agit pas de ma santé, Nat', c'est mon style de vie qui pose problème, expliqua-t-il en grimaçant.

La plainte d'un Klaxon monta jusqu'à eux depuis la rue en contrebas, qui fit sursauter Natalie.

— Tu as un souci dans ton travail ? Les profits sont en baisse ? Je sais bien que le pays traverse une zone de turbulence économique, mais tu es suffisamment solide pour traverser cet orage, papa, tu l'as toujours été.

— Ma chaine hôtelière n'a pas réalisé le moindre bénéfice depuis plus de deux ans, ma chérie, annonça-t-il d'un ton morose, en grande partie parce que je n'ai pas fait les aménagements et les améliorations qui s'imposaient. Par conséquent, je n'ai plus les moyens d'employer le personnel hautement qualifié qui a fait mon succès. Ça te ressemble bien de mettre ça sur le dos de la récession mais il faut se rendre à l'évidence, je suis le seul responsable.

— Et qu'est-ce qui t'empêche de moderniser tes installations ou de conserver ton personnel ? Tu m'as toujours dit que tes hôtels t'avaient rendu riche.

— Et c'était vrai, j'*étais* riche. Mais je n'ai pas été capable de mettre mon argent à l'abri. J'ai presque tout perdu, Natalie, et je vais devoir me résoudre à tout vendre à perte pour tenter de récupérer suffisamment d'argent ; j'ai contracté beaucoup de dettes.

Natalie fut saisie d'un vertige semblable à ce que l'on ressentait en avion pendant un trou d'air.

— C'est si grave que ça ? murmura-t-elle, sans parvenir à trouver les mots pour le réconforter.

Son père se leva en secouant la tête.

— J'ai gâché ma vie. Je me suis montré si irresponsable, si imprudent que j'ai scié la branche sur laquelle j'étais assis. J'ai mérité ce qui m'arrive. J'avais tout ce qu'un homme pouvait souhaiter : une femme magnifique, une fille adorable, un travail passionnant… et j'ai tout fichu par terre en ne pensant qu'à m'amuser au lieu de gérer correctement mes affaires.

— Tu veux parler de l'alcool et des femmes ?

— Et le reste… Pas étonnant que j'aie fini par faire un infarctus…

Natalie prit la main de son père. Elle ressentait le besoin de lui offrir un peu de réconfort, tout en se demandant avec effroi ce qu'il voulait dire par *et le reste…*

— Rien ne dit que tu en feras un second, papa. Tout va s'arranger, je te le garantis. Mais avant tout, tu dois cesser de te reprocher tes erreurs et passer l'éponge. Ensuite je veux que tu me promettes d'arrêter de te faire du mal de cette façon et de prendre soin de toi. Tu dois aller de l'avant, faire face à tes obligations. Tu disais être forcé de vendre à perte ; quel est ton acheteur ?

— Un type que l'on connaît dans le milieu sous le surnom de *l'alchimiste*, car il est capable de changer la boue en or d'un coup de baguette magique. C'est un millionnaire grec du nom de Petrakis. Je sais, c'est un peu caricatural, mais il m'a fait une offre que je ne pouvais pas refuser. Au moins, je sais qu'il aura vraiment l'argent pour payer la vente, c'est déjà ça. J'ai besoin que cet argent arrive sur mon compte aussi vite que possible, Nat. La banque veut que la somme soit créditée demain, sans quoi je serai en banqueroute.

— Il te reste forcément quelque chose, non ? Cet appartement par exemple, j'imagine que tu en es propriétaire ?

Une nouvelle fois, son père secoua la tête.

— Je crains qu'il ne soit hypothéqué, ma chérie.

Natalie accusa le coup, ce qui n'échappa pas à son père. Il retira sa main de la sienne et la porta à sa poitrine.

— Papa, ça va ? Tu veux que j'appelle un médecin ?

— Ça va aller, j'ai juste besoin de sommeil et il faut que je lève le pied sur le whisky. Tu me ferais une tasse de thé ?

— Bien sûr. Va donc t'allonger sur le canapé, je t'apporte ça.

Pour toute réponse, il la serra contre lui et déposa un baiser affectueux sur son front. Lorsqu'elle leva les yeux vers son visage hâve, elle lut dans son regard fatigué un amour infini et la fierté qu'elle lui inspirait.

— Tu es une fille bien, Natalie… la meilleure au monde. Je regrette de ne pas te l'avoir dit plus souvent.

— Même si maman et toi avez divorcé, j'ai toujours su que vous m'aimiez, le rassura-t-elle en quittant sa douce étreinte.

— Ça me réchauffe le cœur de te l'entendre dire. Je ne voudrais pas abuser, mais est-ce que tu me rendrais un autre service ?

— Dis toujours, répondit-elle en souriant, mais la gorge serrée par l'émotion, tu sais bien que je ferai tout pour t'aider.

— Je veux que tu m'accompagnes à cette réunion avec Petrakis et ses avocats, demain. J'aurais besoin d'un soutien moral. Tu veux bien ?

Regarder son père céder le travail de toute une vie à un investisseur grec qui n'aurait aucune considération pour lui ou pour son œuvre et se moquerait bien de savoir que cette vente allait lui briser le cœur… voilà qui promettait d'être la pire épreuve de son existence.

— Bien sûr, je serai là, lui assura-t-elle en lui effleurant la joue, maintenant va t'allonger, je vais t'apporter ta tasse de thé.

Lui qui se tenait toujours droit s'éloigna vers le salon en traînant les pieds, vouté, usé. Natalie n'était pas quelqu'un de violent, mais elle ressentit une vague de haine en songeant à ce magnat grec, à ce prétendu *alchimiste*, qui allait récupérer l'entreprise de son père pour une bouchée de pain, alors qu'il avait à l'évidence les moyens de payer bien plus et d'offrir au moins une chance à son père de relever la tête et de se remettre dans la course…

# 3.

Natalie avait eu une nuit agitée et son père avait à peine fermé l'œil. A plusieurs reprises elle l'avait entendu arpenter le couloir. Il avait même fini par laisser la porte de sa chambre ouverte et Natalie avait entendu des râles venant de la salle de bains. Saisie d'effroi, elle s'était alors précipitée et avait ouvert la porte à la volée. Son père l'avait suppliée de le laisser seul. Ce n'était pas la première fois que cela arrivait, lui avait-il dit, et il savait comment procéder. Natalie était donc retournée dans sa chambre à contrecœur, terrifiée à l'idée qu'il puisse tomber ou faire une attaque durant la nuit.

Elle avait à peine dormi trois heures lorsque le soleil vint frapper ses paupières lourdes de sommeil, à travers la fenêtre sur laquelle elle avait oublié de tirer les rideaux.

Elle vérifia que son père était bien debout avant de se traîner jusque dans la cuisine pour préparer un bon café bien noir. Elle fit griller quelques toasts sur lesquels elle étala de la marmelade et appela son père pour qu'il la rejoigne.

Le soleil étincelant ne rendait pas vraiment justice à Bill Carr ce matin-là. La veille, Natalie l'avait trouvé pâle, mais dans la lumière du matin, elle le trouva affreusement hâve et maladif. Il toucha à peine aux tartines, mais avala deux généreux bols de café. Puis il s'essuya la bouche d'un revers de main.

— Bon, je crois que je suis prêt à tout, maintenant,

affirma-t-il en lançant à Natalie un maigre sourire qui lui fendit le cœur.

— Tu ne seras pas seul, je serai en permanence à tes côtés, je te le promets.

— Je sais, ma chérie. Je ne mérite pas que tu prennes soin de moi de cette façon, mais j'apprécie que tu le fasses. Un jour je te revaudrai ça, je t'en fais la promesse à mon tour.

— Tu ne me dois rien, tu es ma famille, tu te rappelles ? Tout ce que je souhaite, c'est ton bonheur. A quelle heure avons-nous rendez-vous avec ce Petrakis, déjà ?

— 10 h 45.

— D'accord. Je vais prendre une douche, m'habiller et je nous appellerai un taxi. Où se trouve son bureau ?

— Westminster.

— Bon, ce n'est pas très loin. Allez, tu ferais bien de te préparer toi aussi. Tu veux que je te repasse une chemise ?

Il se leva, enfonça les mains au fond des poches de sa robe de chambre, manifestement pris au dépourvu par cette question.

Natalie prit une profonde inspiration pour apaiser son anxiété.

— Est-ce que tu veux que je t'aide à choisir ta tenue ?

— Non ma chérie, ça va aller. Je vais mettre mon plus beau costume et j'ai une chemise repassée qui m'attend dans ma penderie depuis que je sais que je vais devoir me rendre à ce rendez-vous.

— Parfait.

Elle jeta un coup d'œil en direction de la pendule, sur le mur.

— On ferait bien de ne pas perdre de temps, ajouta-t-elle, inutile d'être en retard.

— En retard pour l'échafaud, tu veux dire ? précisa-t-il avec une profonde amertume non dénuée d'une pointe d'humour noir.

Elle ne l'avait jamais vu si mal dans sa peau.

— Je sais combien cela doit être pénible pour toi de renoncer à cette entreprise que tu as mis toute ton âme à construire, mais essaie de voir ça comme un nouveau départ, une occasion de mettre ton énergie au service d'un nouveau projet peut-être moins exigeant et que tu auras plus de facilité à gérer !

— Comment veux-tu que je me relance dans une nouvelle affaire sans un sou en poche ?

— Il y a d'autres moyens de gagner sa vie qu'en devenant entrepreneur.

— Mais je ne sais rien faire d'autre ! soupira-t-il en passant nerveusement la main dans ses cheveux argentés.

Impuissante à lui offrir le moindre réconfort, Natalie tortilla le pyjama trop grand qu'elle avait emprunté à son père tout en réfléchissant à toute vitesse.

— Et si je demandais à ce Petrakis de faire preuve d'humanité, s'il consentait à te payer une somme plus raisonnable pour ton entreprise ? Tu m'as dit toi-même que c'est un faiseur de miracles. S'il est sûr de pouvoir faire fortune avec ces hôtels, qu'est-ce que cela lui coûte de te payer correctement ?

— Ma chérie, je ne voudrais pas te paraître indélicat, mais tu sais bien peu de choses sur les hommes de son calibre. Comment crois-tu qu'il a accumulé son immense fortune ? Certainement pas en faisant preuve de générosité. Toute ton éloquence et ta conviction ricocheront sur son armure.

La colère passa dans ses yeux gris acier.

— Et c'est comme ça que le monde des affaires estime le succès d'un chef d'entreprise ? Plus on se montre impitoyable et sans cœur, moins on se soucie des drames humains que l'on sème sur son chemin, plus on est estimé par ses pairs et ses collaborateurs ? Et peu importe si on laisse un concurrent exsangue sur le bord de la route, tant que l'on a obtenu ce que l'on voulait ? lança Natalie, révoltée.

Elle vouait déjà une haine farouche au millionnaire grec, avant même d'avoir fait sa connaissance. Elle songea alors à autre chose. Si ce rendez-vous d'affaires se révélait aussi dévastateur qu'elle le supposait pour son père, elle n'aurait pas le cœur à l'abandonner le soir même pour se rendre à son dîner avec l'énigmatique Ludo… qu'elle ne parvenait pas à chasser de ses pensées depuis leur rencontre.

— Ce sont les règles du jeu, mais ne t'approprie pas ma colère, ma chérie. Je t'ai fait venir ici pour que tu me soutiennes moralement, mais cette bataille n'est pas la tienne. C'est à moi de la mener. Allez, préparons-nous !

Son père se leva en soupirant, remontant le couloir aux murs lambrissés comme s'il portait tout le poids du monde sur ses épaules.

— Ludovic, comment allez-vous ? La circulation est un enfer aujourd'hui, ça n'avançait pas.

Ludo fixait un point indéfini au-delà de la fenêtre de son confortable bureau de Westminster, l'esprit entièrement occupé par une unique pensée : ce soir, il allait revoir l'exquise Natalie et ils allaient dîner ensemble. Il ferma les yeux et eut la sensation de respirer son parfum. A quand remontait un tel émoi à l'idée de revoir une femme ? Etait-ce même jamais arrivé ? Il manqua sursauter lorsque Stephen Godrich, son avocat aux manières très guindées, fit une entrée tonitruante.

Ludo fit pivoter son siège et afficha un sourire de circonstance. Il aurait tout le temps, après cette séance de travail, de laisser son esprit vagabonder librement.

Ludo s'avança pour serrer la main de Stephen. L'embonpoint de ce dernier soumettait son vêtement à des contraintes affolantes. Le bouton du haut de sa veste avait désormais à peu près autant de chances de revoir le pan opposé que Ludo de remporter Wimbledon… Ce surpoids était un handicap pour qui jouait — comme lui — au polo et non au tennis.

— Bonjour Stephen, vous avez l'air en forme… tellement que j'en viens à me demander si je ne vous paie pas trop, plaisanta-t-il.

Le placide avocat eut un instant de panique, mais se reprit bien vite. Il sortit un mouchoir de sa poche et entreprit de s'essuyer le front.

— Je paie mon goût immodéré pour les dîners fins, avoua-t-il en souriant. Je sais que je devrais faire preuve de discipline, mais nous avons tous nos péchés mignons, n'est-ce pas ? Bien… votre client est-il déjà arrivé ?

Ludo consulta la Rolex platinium qui enserrait son poignet bronzé.

— Je crains qu'il ne soit légèrement en retard. Je vais demander à Jane de nous préparer un café pour nous faire patienter.

— Excellente idée. Et je ne serais pas contre quelques biscuits pour l'accompagner si vous en avez, ajouta l'avocat, plein d'espoir.

Ludo était déjà à la porte et se dirigeait vers la réception. D'un geste de la main, il indiqua à Stephen qu'il avait entendu sa demande. Si seulement il consentait à réduire sa consommation de sucre, ses costumes sur mesure lui iraient beaucoup mieux.

Ludo vint s'installer à la table de réunion en compagnie de Stephen et d'Amelia Redmond. C'était elle qui avait lancé une OPA en son nom sur la jadis prestigieuse chaîne hôtelière dont il s'apprêtait à faire l'acquisition. Il y avait également Nick, son assistant toujours affable et d'une efficacité redoutable. Le jeune homme s'était installé face à lui et relisait pour la énième fois les documents légaux avec attention, les sourcils froncés. Il songea alors — sans raison précise — que la famille de Nick était originaire de Crète. Sans doute Natalie avait-elle encore trouvé un moyen de s'immiscer dans son esprit, puisque c'était là-bas qu'avait grandi la mère de la belle inconnue.

Il eut soudain hâte que son rendez-vous d'affaires soit derrière lui — même si cette acquisition était une véritable aubaine — afin de pouvoir quitter le bureau et aller nager dans son club de sport privé. Ce n'était pas la première fois, mais il repensa à cette phrase de Natalie lui demandant pourquoi il était toujours à ce point occupé.

Il soupira en silence. Sa famille lui avait enseigné à travailler avec acharnement et il avait récolté plus que largement le fruit de sa ténacité et de son labeur. Il lui arrivait pourtant encore de temps en temps d'en vouloir encore plus, perdant de vue parfois que son corps avait besoin de périodes de repos et de détente pour supporter une telle charge de travail. Il avait les moyens de prendre une année sabbatique ou davantage, mais à quoi l'employer ? Et surtout, avec qui la passer ?

Il défroissa par habitude sa chemise cobalt et releva la tête, avec l'intuition que Jane, sa secrétaire âgée d'une quarantaine d'années, allait entrer d'un instant à l'autre.

— Monsieur Carr est ici avec sa fille, annonça-t-elle après avoir franchi la porte, du ton grave qu'elle avait coutume d'adopter. Puis-je les faire entrer ?

— Faites. Leur avez-vous demandé ce qu'ils souhaitaient boire ?

— Absolument.

Pourquoi Bill Carr avait-il fait venir sa fille à cette réunion ? Ni l'implacable Amelia Redmond, ni son fidèle Nick ne l'avaient informé qu'elle avait des parts dans l'entreprise, et il ne tenait vraiment pas à ce qu'un coup de théâtre vienne perturber la négociation. A voir sa mine déconfite, Nick n'appréciait pas davantage ce changement inattendu. Jane fit entrer les invités, deux hommes et une femme brune et Ludo fut le premier à se lever pour les accueillir. Lorsqu'il reconnut Natalie, il crut que ses jambes allaient se dérober sous lui.

Natalie était la fille de Bill Carr, le propriétaire de la chaîne hôtelière ? Il lut dans les yeux argentés de Natalie une stupeur pareille à la sienne, et il ne put s'empêcher de murmurer son prénom, alors même qu'une vague de désir immense le saisit en la voyant.

Elle portait un jean délavé qui dessinait magnifiquement ses jambes et une tunique de satin couleur cerise qui tranchait avec les tenues strictes de toutes les personnes présentes. Un contraste que Ludo jugea cependant à la fois charmant et très rafraîchissant. Pourtant, même s'il se réjouissait en secret de la revoir, la situation tournait à la catastrophe. Ludo vit tout de suite qu'elle était sur ses gardes, mais elle ne laissa voir à aucun moment qu'elle l'avait déjà rencontré. Il allait avoir un mal fou à gagner sa confiance, maintenant qu'elle savait qu'il était l'homme qui allait racheter l'affaire de son père — à un prix dérisoire. En effet, elle n'ignorait sans doute pas que Bill vendait à perte.

— Lequel de vous est Bill Carr ? demanda Ludo pour gagner un peu de temps et établir un plan d'action.

Sa voix sonna étrangement, même à ses propres oreilles. A dire vrai, la présence inattendue de Natalie, couplée à cette révélation de parenté soudaine, l'avait beaucoup affecté. Il fit de son mieux pour conserver malgré tout son équilibre lorsque le plus pâle des deux hommes, vêtu d'un costume gris de coupe classique, s'avança pour lui serrer la main.

— C'est moi, et voici mon clerc, Edward Nichols, et ma fille, Natalie.

Laquelle, hélas, ne s'avança pas pour lui serrer la main, mais lui adressa un regard à geler un volcan. Elle lui signifiait ainsi que vu les circonstances, ils devaient demeurer des étrangers aux yeux du monde ; opinion qu'il partageait totalement.

— Je suppose que vous devez être monsieur Petrakis ? répliqua Bill Carr.

— En effet. Si nous nous asseyions ? proposa aussitôt Ludo. Ma secrétaire va nous apporter des boissons. En attendant, j'aimerais vous présenter mes collègues.

Les présentations faites, Ludo avala le verre d'eau posé devant lui. Il devait à présent faire bonne figure et ne pas laisser voir à l'assistance que la présence de Natalie lui faisait perdre tous ses moyens. Jane leur apporta du café et des biscuits avant de prendre congé. Ludo en profita pour laisser Amelia et Nick énoncer les termes du contrat, ce qui capta toute l'attention de Bill et de son clerc. Ils posèrent de nombreuses questions et prirent autant de notes.

Un frisson de culpabilité inédit lui parcourait la nuque chaque fois qu'il croisait le regard de Natalie et il s'employa à retrouver dans sa mémoire tout ce qu'elle lui avait dit la veille au sujet de son père. *Il est parfois imprévisible et souvent difficile à suivre*, lui avait-elle confié. Etait-ce ce caractère impétueux qui lui avait valu de dépenser son argent de façon inconsidérée ? Nick avait déterré une histoire connue dans le monde de la finance, prouvant que Bill avait une réputation de flambeur. Il semblait avoir certains travers assez coûteux et… pas toujours avouables, raison pour laquelle, sans doute, il se retrouvait aujourd'hui contraint de vendre son affaire pour moins de la moitié de sa valeur, afin de rembourser ses créanciers.

Les deux assistants de Ludo conclurent leur exposé des termes du contrat de façon concise et professionnelle, puis le clerc confirma le montant de la somme cédée afin que chacun soit bien certain que Bill Carr prenait sa décision en connaissance de cause. Il ne leur resterait plus alors qu'à procéder aux signatures devant témoin, après quoi l'argent serait transféré sur le compte en banque de Bill.

Stephen Godrich fit glisser les documents sur la table en direction de Bill, mais Natalie les intercepta.

— M. Petrakis, pensez-vous vraiment que la compensation que vous offrez à mon père en échange de son entreprise est juste ? demanda-t-elle à brûle-pourpoint.

*M. Petrakis*... Ludo aurait presque souri de cette tournure guindée, s'il n'avait pas saisi les implications de la question posée d'une voix douce et caressante.

— Juste ? répéta-t-il en braquant son regard intense sur la brune, qui rougissait déjà.

— Oui, juste. Vous avez bien conscience que vous allez faire l'acquisition de l'une des plus florissantes chaînes d'hôtel du Royaume-Uni pour une bouchée de pain ! Vous êtes un homme riche, à ce qu'on dit. Vous avez donc les moyens d'offrir à mon père une somme moins insultante, qui rende justice à son ingéniosité, celle-là même qui lui a permis de bâtir cette entreprise. Une somme qui lui permette de rebondir et d'investir dans un nouveau projet.

Le discours de Natalie avait fait l'effet d'une bombe et personne n'osait plus bouger, de peur sans doute de déclencher une nouvelle explosion. Ils demeuraient immobiles, comme en état de choc, n'osant pas déplacer la moindre feuille de papier.

Pendant quelques secondes Ludo resta sans voix, incapable de trouver quoi que ce soit à répondre à la belle aux pommettes roses et aux yeux brillants de fureur. Heureusement son instinct de survie se réveilla, déclenchant une colère violente. Il se pencha vers elle par-dessus la table.

— Vous estimez que le prix que je propose pour la chaîne hôtelière de votre père est insultant ?

— Tout à fait.

— Lui avez-vous demandé combien d'investisseurs sont venus frapper à sa porte pour reprendre son affaire ? Allez-y, posez-lui la question !

— Je sais que tu veux bien faire, ma chérie, expliqua son père en posant sur son bras une main osseuse, mais en dehors de M. Petrakis, personne ne m'a fait la moindre offre. Il est pragmatique, tout comme moi, voilà tout. Le marché est au point mort et je lui suis plutôt reconnaissant de sa proposition. Mes hôtels n'ont plus le succès de leurs grandes heures, Natalie. Le repreneur devra investir beaucoup d'argent pour espérer faire de nouveau des bénéfices, il faut que tu le comprennes.

Natalie se mordit la lèvre en lui adressant un regard peiné.

— Mais toute cette affaire a tellement affecté ta santé, papa... Tu en as bien conscience. Comment vas-tu pouvoir avancer si tu n'as pas de nouveau projet à porter ? C'est pour pouvoir aller de l'avant que tu as besoin d'argent.

Ludo trouva admirable la dévotion dont elle faisait preuve envers son père, même si son accusation fantaisiste l'avait un peu contrarié. Natalie Carr était à l'évidence quelqu'un d'attentionné. Elle adorait son père et était prompte à passer l'éponge sur ses erreurs passées, même si à l'époque, cela avait pu la blesser. Aussi étrange que cela paraisse, ce trait de son caractère ne faisait que rendre l'idée d'une liaison avec elle plus attrayante encore et il était prêt à user de tous les moyens possibles pour l'en convaincre. Mais il lui fallait d'abord boucler ce dossier.

— Si tragique que soit votre histoire, M. Carr, je dois maintenant vous poser la question : voulez-vous conclure cette affaire et que l'argent soit versé sur votre compte dès aujourd'hui ? A moins que vous n'ayez changé d'avis en écoutant l'admirable plaidoyer de votre charmante fille.

Il adressa un regard en biais à Natalie afin de lui faire comprendre que s'il était devenu aussi riche, ce n'était pas à force de bons sentiments. Il mourait d'envie de coucher avec elle, mais pas au point de renoncer aux principes qui lui avaient permis de bâtir sa fortune.

Il n'était prêt à le faire pour personne.

# 4.

L'affaire fut conclue.

Natalie évita le regard énigmatique de Ludo tandis qu'elle quittait le bureau élégamment meublé en compagnie de son père et de son clerc. Elle laissa derrière elle les grandes baies vitrées et l'odeur de cire d'abeille, en se prenant à regretter que le dîner prévu pour le soir même n'ait finalement pas lieu.

Comment aurait-elle pu souhaiter le revoir après qu'il eut repoussé avec froideur sa supplique ? Il ne faisait plus aucun doute à ses yeux que la recherche du profit prenait le pas sur la considération pour son prochain.

*Bon débarras !* songea-t-elle au moment où il passait devant elle en évitant lui aussi de croiser son regard. Pourtant, son cœur s'emballa à son passage et ses sens s'enflammèrent lorsqu'elle perçut la fragrance de son après-rasage.

Soudain, à son grand étonnement, il lui saisit le poignet avec douceur.

— Natalie ? J'aimerais vous dire un mot.

Le contact chaud de sa peau, le feu de son regard intense... Elle n'eut pas le temps de trouver quoi répondre, que, déjà, il la lâchait et se tournait vers ses collègues.

— Je vais m'entretenir seul à seul avec mademoiselle Carr, annonça-t-il comme l'on donne un ordre.

Les autres se levèrent comme un seul homme et emboîtèrent le pas à Bill Carr et à son clerc.

Lorsque Ludo voulut refermer la porte sur eux, Bill Carr se retourna. La perplexité se lisait sur son visage.

— Puis-je vous demander pour quelle raison vous souhaitez parler avec ma fille en privé ? risqua-t-il. Je comprends que vous soyez contrarié par son intervention, mais je vous demande de ne pas en faire une affaire personnelle. Je suis persuadé qu'elle ne pensait pas à mal, M. Petrakis.

Natalie cacha mal son agacement. Elle détestait voir son père se montrer si obséquieux. Un peu de fierté, bon sang ! Une chose était sûre, elle ne ploierait pas l'échine de cette façon.

— Ne vous inquiétez pas, M. Carr, la tirade de votre fille était certes déplacée, mais je ne la prends pas comme une attaque personnelle. Je voudrais juste lui parler au calme… si elle est d'accord, bien entendu.

Natalie eut la désagréable impression de n'être qu'un objet que l'on déplaçait à volonté. Elle croisa ostensiblement les bras sur la chemise couleur cerise — qu'elle ne regrettait pas d'avoir jetée à la va-vite dans sa valise —, soutint le regard de Ludo sans cacher son agacement ni céder à l'impulsion récurrente de baisser les yeux face à lui.

— Faites comme vous voulez, M. Petrakis, mais faites vite, j'aimerais avoir le temps de passer à la banque avant la fermeture.

— Afin de vérifier que l'argent a bel et bien été viré sur le compte de votre père, je suppose ? commenta Ludo, une ride moqueuse au coin de l'œil.

Natalie parvint miraculeusement à ne pas gifler sa jolie joue bronzée.

— C'est son argent, pas le mien. Croyez-le ou non, mais j'ai mon propre compte en banque.

— Je suis très heureux de l'apprendre, affirma Ludo avec un sourire déconcertant, mais pourquoi ne viendriez-vous pas vous asseoir, que l'on puisse bavarder un peu ?

Elle se tourna vers son père qui se demandait certainement ce qui pouvait bien se passer entre elle et le milliardaire.

— Je suis sûre que ça ne sera pas très long, papa, le rassura-t-elle d'un pauvre sourire. Tu veux bien m'attendre dehors ?

— On se retrouve dans le café de l'autre côté de la rue. Bonne journée, M. Petrakis.

— Ce fut un plaisir de faire affaire avec vous, M. Carr.

Lorsque la porte se fut refermée sur son père, Natalie laissa éclater sa colère.

— Je suis curieuse de savoir ce que vous allez trouver à me dire après ce que vous venez de faire, même si je ne suis pas certaine d'avoir envie de vous écouter. A moins que vous ne comptiez sur moi pour transmettre vos excuses sincères à mon père pour vous être comporté comme un vulgaire mercenaire ? J'aimerais éviter de perdre une minute de plus à tenter de rendre plus humain un homme qui est manifestement sourd et aveugle à la détresse des autres. Je devrais sans doute ranger toute cette histoire dans la catégorie des déceptions cuisantes.

Le visage de Ludo se referma et son regard se fit glacial.

— Vous vous trompez de combat, mademoiselle Carr. Ce qui vient de se passer entre votre père et moi n'est rien d'autre qu'une transaction commerciale. Si vous n'êtes pas capable de comprendre cela, alors c'est que vous êtes bien plus naïve que je ne l'avais cru. Vous êtes tout à fait ignorante des réalités et des contraintes du marché et n'avez à l'évidence aucune expérience en la matière. Votre père n'est sans doute pas le meilleur homme d'affaires au monde, mais il a au moins le mérite d'être pragmatique et de connaître les codes du milieu. Je suis certain qu'il m'est reconnaissant de lui avoir fait une telle offre ; ce n'est pas comme s'il croulait sous les propositions de reprise… Au moins est-il désormais en mesure de rembourser une partie de ses dettes.

— Comment êtes-vous au courant de ça ? s'étrangla Natalie.

— Cela fait partie de mon travail d'enquêter sur la situation financière des personnes qui souhaitent me vendre un bien, Natalie.

Ludo poussa un soupir en se passant la main sur la mâchoire.

— Je suis sincèrement désolé que votre père se soit mis dans un tel pétrin financier, mais pour autant ce n'est pas à moi de l'en sortir. J'ai une entreprise à faire tourner.

— J'ai bien compris le message.

Aussi irritant que soit son comportement, Natalie devait bien admettre que Ludo n'y était pour rien si son père s'était mis dans cette situation. Il n'était pas responsable si Bill Carr avait négligé son entreprise au fil des ans, victime de mauvaises habitudes de plus en plus envahissantes. Devait-elle vraiment en vouloir à Ludo d'avoir payé la chaîne d'hôtel plus cher que le prix du marché ? Elle savait que le milliardaire n'était pas fondamentalement mauvais. N'avait-il pas proposé de payer son billet de train ?

D'un geste nerveux, elle ramena une mèche rebelle derrière son oreille, tout en inspirant par à-coups. Elle avait beau tourner le problème dans tous les sens, elle ne parvenait pas à comprendre pourquoi un businessman tel que lui refusait de tendre la main à un *confrère* dans la tourmente. Les journaux titraient pourtant partout sur la nécessité de rendre le monde des affaires plus humain et moins axé sur le profit à tout prix.

— C'est tout ce que vous vouliez me dire ?

Natalie espérait secrètement qu'il l'entretiendrait de sujets plus personnels, plus intimes, pour avoir le plaisir de graver le souvenir de sa jolie voix dans sa mémoire.

Comme s'il pouvait lire dans ses pensées, Ludo lui adressa alors le plus doux des sourires. Natalie sentit ses seins se durcir contre le bonnet de son soutien-gorge, comme s'il venait de les effleurer du doigt.

— Non, ce n'est pas tout, confessa-t-il d'une voix profonde, avez-vous déjà oublié que vous m'avez promis un dîner ce soir ?

— N… non, je n'ai pas oublié. Mais c'était avant que j'apprenne que vous étiez l'homme qui rachetait l'entreprise de mon père.

— Quel est le rapport avec notre dîner ?

Natalie fut stupéfaite qu'il ose même poser la question.

— Comment pensez-vous que mon père réagirait en apprenant que je m'apprête à dîner avec vous ? Il se sentirait trahi. Il vit déjà un enfer, inutile que je jette de l'huile sur le feu.

— On dirait que vos propres besoins et vos envies passent systématiquement au second plan. Pourquoi cela ?

— De quels besoins voulez-vous parler ? demanda-t-elle en rougissant.

Elle savait très bien de quoi il voulait parler, car il était indéniable que Ludo Petrakis l'excitait au plus haut point, plus que n'importe lequel des hommes qui avaient croisé sa route jusque-là. Mais le plus étonnant, c'était qu'il semblait ressentir la même chose pour elle ! Ce qui ne rendait pas la situation moins inconfortable pour autant…

Certes, son père avait fait un certain nombre de choix discutables qui l'avaient mené à sa ruine, mais elle ne voulait pas lui donner le sentiment qu'elle le punissait en fréquentant Ludo. Il fallait qu'elle trouve en elle la force de se détourner du milliardaire, même si ses sens l'incitaient à se jeter dans ses bras.

Natalie redressa la tête pour bien signifier à Ludo que les besoins auxquels il faisait allusion étaient tout à fait secondaires à ses yeux.

— Mon seul besoin à l'heure actuelle est de voir mon père se remettre de ce revers de fortune, moralement et physiquement, afin de trouver la force de se lancer dans une nouvelle entreprise. Oh ! au fait, votre petite enquête vous a-t-elle appris qu'en plus de perdre son entreprise, il est sur le point d'être jeté à la rue ? Quoi qu'il en soit, sachez que si je dois me rendre à la banque, ce n'est pas pour vérifier le virement, mais pour retirer de l'argent afin de vous rembourser mon billet de train. J'ai appris il y a peu que je disposais d'un code d'urgence me permettant de retirer de l'argent même sans ma carte bancaire.

— Oublions ça, ce n'est pas important. De mon point de vue, vous ne me devez rien du tout. Je préférerais vous emmener dîner afin d'apprendre à vous connaître un peu mieux.

Son insistance était flatteuse, mais elle ne pouvait s'empêcher de freiner des quatre fers.

— Vous n'avez donc rien écouté de ce que je viens de dire ? Je suis désolée, mais je refuse de froisser mon père en prenant le risque de vous revoir. Vous avez peut-être la fausse impression qu'il prend bien la chose au vu des circonstances, mais je vous assure qu'il accuse le coup, affirma-t-elle en défroissant d'un geste nerveux sa chemise parfaitement lisse. Bon, je vais devoir y aller maintenant, mais j'aurais une dernière question à vous poser : pourquoi ne pas m'avoir dit que vous étiez grec, lorsque nous nous sommes rencontrés à bord de ce train, alors même que je vous avais confié que ma mère venait de Crète ?

La question de Natalie rappela à Ludo des souvenirs douloureux. Il était fier de son héritage, mais cela faisait trois ans qu'il n'avait pas remis les pieds sur sa terre d'origine. Trois ans que son frère aîné Theo était mort dans un accident de bateau survenu au large de l'île privée que Ludo possédait là-bas. Cela avait été la période la plus sombre de son existence et ce drame l'avait plongé dans un tourbillon dont il doutait pouvoir s'extirper un jour.

Il n'était pas resté avec sa famille pour partager leur chagrin. Il était parti peu après les funérailles et s'était plongé corps et âme dans le travail, voyageant aux quatre coins du monde pour gérer ses intérêts à l'étranger, partout… sauf en Grèce. Ses parents ne comprenaient pas pourquoi il fuyait ainsi cette terre bien-aimée. Chaque fois qu'il avait sa mère au bout du fil, elle pleurait et le suppliait de revenir à la maison, mais Ludo l'avait trahie par deux fois ; il ne se sentait pas capable de soutenir son regard. Non seulement il s'était montré incapable de s'investir dans une relation suivie, promesse d'un enfant à venir, mais — et c'était bien pire — il était en partie responsable de la mort de son frère. Cette île au large de laquelle il avait péri, Ludo en avait fait l'acquisition afin de prouver à ses parents qu'il avait obtenu le succès dont il rêvait lorsqu'il était enfant, de leur montrer qu'il était aussi respectable que Théo…

Ludo détourna les yeux du magnifique regard gris qui le dévisageait.

— A ce moment-là, je voulais surtout en savoir davantage sur vous, Natalie, parvint-il à répliquer d'une voix presque détachée. N'est ce pas d'ailleurs l'un des reproches que les femmes font d'ordinaire aux hommes ? Qu'ils parlent trop d'eux-mêmes ?

— Je n'en sais rien. Il me semblait juste logique que vous ayez envie de me parler de l'endroit d'où vous venez.

— Et pour quoi faire ? Pour que nous échangions des anecdotes au sujet de nos origines communes ?

Elle l'avait poussé dans ses retranchements et il ne parvint pas tout à fait à réprimer une pointe d'agacement. Elle l'avait pris par surprise. Il évoquait rarement le pays de ses ancêtres et n'avait parlé à personne de ce drame personnel qui le tenait éloigné de sa terre natale… pas même à ses amis proches. Mais s'il voulait que sa relation avec Natalie progresse, il allait devoir aborder le sujet, que cela lui plaise ou non.

— Il arrive qu'un homme dans ma position recherche l'anonymat, que ce soit au sujet de ses origines ou de son identité. Et puis je ne crois pas que nos parents grecs soient notre unique point commun.

— C'est sans doute ce que j'aurais dit aussi hier, si vous vous étiez livré davantage, contra-t-elle en serrant ses bras autour de ses épaules, mais il s'est produit beaucoup de choses depuis et des passerelles inédites ont été lancées entre nous. Lorsque je suis entrée dans cette pièce et que j'ai compris que l'inconnu du train et le milliardaire ne faisaient qu'un, j'ai été stupéfaite. Pour en revenir à l'épisode d'hier, vous avez payé mon billet et que vous le vouliez ou non, je suis déterminée à vous rembourser.

— Dans ce cas, mon invitation pour ce soir prend tout son sens, n'est-ce pas ?

— Je ne peux pas.

— Dites plutôt que vous ne *voulez* pas.

— Je vous répète que je ne peux pas… Est-ce que ça vous arrive d'écouter ce qu'on vous dit ?

Ludo porta ses mains à ses tempes et agita lentement la tête.

— Je vous écoute, Natalie, mais si je ne vous offre pas la réponse que vous espérez, c'est peut-être que vous ne me donnez pas ce que je veux.

— Et vous obtenez toujours ce que vous voulez, pas vrai ? lâcha-t-elle avec irritation.

Quand il la vit se diriger vers la porte, Ludo sentit un frisson lui parcourir l'échine à l'idée qu'il risquait de ne plus jamais la revoir. Il devait agir et vite. Une idée se forma dans son esprit, qu'il s'empressa de formuler à voix haute de peur qu'elle ne s'évanouisse. C'était une idée saugrenue, bien qu'étrangement cohérente… Il décida de sauter le pas.

— Peut-être envisagerez-vous de ne pas franchir cette porte si je vous dis que j'ai une proposition à vous faire ? Une proposition qui pourrait vous satisfaire et profiter à votre père, affirma-t-il avec calme.

Natalie se figea sur place et lâcha la poignée de la porte avant de lui faire face.

— Quel genre de proposition ?

Ludo fit quelques pas vers elle, le temps d'organiser sa pensée. Il lui apparut que lui-même avait à gagner dans l'arrangement qu'il allait lui soumettre. L'idée ne lui semblait plus du tout saugrenue désormais. En fait, c'était peut-être la solution qu'il cherchait depuis longtemps. Une porte de sortie, un moyen d'être enfin en paix avec lui-même.

Il s'arrêta face à elle et ancra son regard dans les grands yeux inquisiteurs qui le dévisageaient.

— Je vous propose d'augmenter de moitié l'offre de rachat faite à votre père si vous acceptez de venir avec moi en Grèce pour jouer le rôle de ma fiancée.

Natalie écarquilla les yeux. Avait-elle bien compris ce qu'il venait de dire ?

— Vous voulez bien répéter ? Je ne suis pas sûre de…

— Vous m'avez très bien compris, rectifia-t-il avant de reformuler sa proposition.

— Vous êtes vraiment prêt à augmenter votre prix si j'accepte de jouer les futures mariées avec vous en Grèce ? Qu'avez-vous à gagner dans cet étrange arrangement ?

Ludo relâcha les épaules en soupirant.

— Cela ne vous semblera pas aussi étrange lorsque je vous aurais expliqué mes raisons.

— Je vous écoute, dans ce cas.

Elle s'humecta les lèvres et attendit qu'il poursuive.

— Mes parents — et en particulier ma mère — ont longtemps espéré que je leur présente une compagne, quelqu'un avec qui je veuille m'engager, quelqu'un qui leur redonne l'espoir d'avoir un jour un petit-fils ou une petite-fille.

L'éclair de panique qui passa dans les yeux de Natalie ne lui échappa pas, mais il poursuivit malgré tout, et se rassura en songeant qu'elle aurait déjà tourné les talons si cette idée la révulsait vraiment.

— Hélas, cela fait bien longtemps que je n'ai pas eu de relation sérieuse et mes parents commencent à désespérer. La situation s'est encore dégradée lorsque mon frère aîné est décédé dans un accident de bateau il y a trois ans, faisant de moi leur seul fils et unique héritier. Je ne suis pas retourné les voir depuis l'enterrement, je ne voulais revenir vers eux qu'avec de vraies promesses d'avenir à offrir. Je sais que ce n'est qu'un mensonge, Natalie, mais mes intentions sont bonnes. Je vous garantis que si vous faites une fiancée convaincante en Grèce, je saurais vous récompenser largement à notre retour en Angleterre.

— Même si j'acceptais de participer à votre mensonge, vous vous imaginez la souffrance de vos parents lorsqu'ils découvriront la vérité ? Ils auront l'impression de perdre leur dernier fils, et rien de ce que vous pourrez m'offrir ne pourra jamais compenser le sentiment que j'aurais d'avoir trahi ces gens.

— Votre empathie pour eux ne fait que confirmer à mes yeux que vous êtes la femme idéale pour cette tâche. Je serai à jamais votre débiteur si vous acceptez de faire ça pour moi.

Natalie prit le temps de réfléchir avant de lui demander :

— Et comment vais-je expliquer à mon père que je pars avec vous en Grèce pour… combien de temps d'ailleurs ?

— Au moins trois ou quatre semaines, *paidi mou*.

Elle rougit légèrement lorsqu'il lui parla en grec. Ses yeux s'illuminèrent comme par magie et Ludo eut un aperçu fugitif de la Natalie fragile et féminine, émue et excitée qu'il connaîtrait s'il parvenait à la séduire. Une chaleur inattendue se diffusa en lui et il fut tout à coup déterminé à la voir jouer les fiancées à ses côtés. D'autant que, dans l'espoir de convaincre ses parents, il comptait jouer au couple parfait jusque dans l'intimité.

— Pourquoi ne pas lui dire que je vous ai proposé

d'apprendre les ficelles de la finance auprès d'un expert ? proposa-t-il avec un sourire. Je suis persuadé qu'il verra l'intérêt de saisir une telle occasion. Si vous saisissez cette chance et que vous apprenez les bases essentielles pour vous épanouir dans ce milieu, je suis certain que votre père cessera de s'inquiéter pour votre avenir, car vous aurez les armes pour vous forger une situation solide.

Pendant qu'il parlait, Natalie s'était dirigée vers un profond fauteuil bordeaux dans lequel elle s'était installée. Lorsqu'elle croisa de nouveau son regard, il savoura un instant fugitif de triomphe absolu mêlé de soulagement, car il sut qu'elle envisageait sérieusement la proposition qu'il venait de lui faire.

# 5.

Avait-elle perdu l'esprit ? L'accompagner en Grèce pour jouer les fiancées… c'était l'occasion de se rendre enfin dans ce pays qu'elle rêvait de visiter depuis tant d'années, mais surtout, elle avait une chance d'augmenter de façon notable le montant que Petrakis verserait à son père.

Moitié plus que le prix initial… cela permettrait à son père de conserver son appartement et d'avoir l'énergie pour prendre un nouveau départ. Sans compter que sa santé s'améliorerait sans aucun doute s'il restait dans un environnement familier. Ludo lui proposait un arrangement trop alléchant pour qu'elle se permette de refuser. Comment pourrait-elle se regarder dans la glace en sachant qu'elle était responsable de la déchéance physique et morale de son père ?

Elle observa l'homme séduisant qui se tenait face à elle, ses traits parfaits, son regard perçant, et se demanda si elle était de taille à incarner sa fiancée. Aurait-elle la force intérieure nécessaire pour tenir le coup, pour ne pas laisser ses vrais sentiments faire obstacle à son rôle ? Si elle l'accompagnait là-bas sous cette fausse identité, cela impliquerait sans nul doute de lui tenir la main, de l'embrasser, de le toucher, peut-être même… intimement.

Elle s'interdit de laisser ses pensées dériver plus loin, car la fièvre la gagnait déjà, la consumant de l'intérieur. Elle souleva légèrement sa longue chevelure soudain pesante et trop chaude sur sa nuque. Ludo avait perdu un peu de sa belle assurance et semblait désormais dans l'expectative, doutant sans doute qu'elle accède à sa demande. Un homme aussi brillant que lui avait-il parfois des doutes ?

— Alors ?

Son regard se fit plus pressant, comme s'il commençait à perdre patience.

— Allez-vous me donner votre réponse ? Acceptez-vous ma proposition Natalie, oui ou non ?

Elle prit une courte inspiration tout en se levant.

— A vous entendre, ça paraît si simple… Oui ou non…

— Je ne vois pas ce qu'il y a de si compliqué.

— Lorsqu'il s'agit d'émotions, rien n'est simple.

— Je ne vois pas le rapport, lâcha Ludo en fronçant les sourcils.

Il enfonça ses mains dans ses poches avant de poursuivre.

— Vous craignez la réaction de votre père quand il apprendra que nous partons ensemble, c'est ça ? Je doute qu'il y voie le moindre inconvénient, étant donné que j'augmente sensiblement mon prix d'achat.

— Pour tout vous dire, ce n'est pas pour mon père que je m'inquiète, avoua-t-elle en rougissant, je suis persuadée qu'il sera ravi de cette augmentation. Quant à savoir s'il acceptera que je vous accompagne en Grèce… il ne s'y opposera pas s'il sait que c'est mon choix. En réalité, je me demandais comment je pourrais me faire passer pour votre fiancée alors que je vous connais à peine. Les futurs mariés sont censés être fous l'un de l'autre et se le prouver en permanence, non ?

Le sourire amusé de Ludo fit ressortir ses dents blanches et son bronzage naturel.

— Vous pensez vraiment que vous aurez du mal à feindre la passion avec moi, *paidi mou* ? La plupart des femmes que je fréquente me trouvent plutôt attirant. Certaines emploient même l'adjectif irrésistible… Nous pourrions mettre cette théorie à l'épreuve, non ?

Le temps que Natalie comprenne son intention, il l'avait

prise par la taille. Elle se retrouva soudain si proche de lui que ses jambes menacèrent de la trahir. Lorsqu'il l'embrassa, elle laissa échapper une petite plainte et ouvrit les lèvres pour accueillir sa langue experte. Leur baiser se fit très intime.

Toute pensée cohérente quitta son esprit, excepté le plaisir qu'elle ressentait et l'excitation qui la gagnait en sentant leurs peaux se frôler. C'était comme s'il venait d'allumer en elle un brasier… Dans le sanctuaire silencieux de son esprit, une résolution se forma : *D'accord, je l'admets, ça ne sera pas un rôle de composition.*

Le baiser lui procura un tel plaisir qu'elle fut déçue lorsqu'il mit fin à leur délicieuse étreinte. Sans la quitter des yeux, il laissa lentement ses mains quitter sa taille pour glisser sur ses hanches. Elle était si proche qu'elle put contempler ses pupilles d'un bleu sans pareil, comme la Méditerranée sous le soleil de l'après-midi. Même ses cils blond cendré semblaient baignés de soleil. Peu lui importait qu'il soit riche ou pauvre, cet homme était tout simplement d'une beauté à couper le souffle.

— Mmm…, soupira-t-il, c'était agréable.

Natalie se prit à espérer qu'il ne lui demande pas en détail ce qu'elle avait pensé de leur baiser. Elle serait forcée de lui avouer qu'elle en aurait volontiers savouré un second… juste pour s'assurer qu'elle n'avait pas imaginé la sensation incroyable que lui avait procurée leur étreinte.

— Puis-je en déduire que la perspective de jouer ma fiancée ne vous est plus si odieuse, finalement ? la taquina-t-il.

Natalie ne put s'empêcher de répondre avec franchise.

— Vous êtes conscient de vos charmes, je n'en doute pas, mais ça ne me facilite pas la tâche. Je dois tout de même me faire passer pour quelqu'un que je ne suis pas. Je suis très mal à l'aise à l'idée de devoir tromper quelqu'un, même pour la bonne cause… en particulier vos parents.

Ludo tendit la main pour chasser une mèche rebelle de son front et lui caressa doucement la joue.

— Vous êtes d'un naturel généreux et je sais qu'ils n'auront aucun mal à vous accepter et à voir en vous ma petite amie.

— Jouer le rôle de la petite amie est une chose, mais nous parlons de fiancée, et c'est beaucoup plus sérieux, vous ne croyez pas ?

Il laissa retomber sa main et soupira avec un sourire légèrement exaspéré.

— Essayez de voir ça comme un jeu sans conséquence. Comme lorsque l'on jouait aux gendarmes et aux voleurs étant enfants. Vous pouvez me croire quand je vous dis que vous ne ferez de mal à personne. Et n'oubliez pas que cela va vous permettre d'offrir à votre père ce que vous désirez tant pour lui. Et puis, c'est l'occasion de visiter le pays natal de votre mère. Vous m'avez avoué que vous rêviez d'y retourner.

Natalie s'éloigna de quelques pas afin de s'affranchir de son magnétisme. Elle devait prendre sa décision sur-le-champ et pria pour ne pas commettre d'erreur irréparable.

— C'est d'accord, je ferai comme vous me l'avez demandé, je vous accompagnerai en Grèce, mais si ce rôle devenait brusquement ingérable pour moi, je vous demande de me laisser rentrer chez moi sans poser de question, c'est d'accord ?

Ludo acquiesça à regret.

— Cela m'attristerait, mais j'accepte. N'oubliez pas qu'en contrepartie de votre compagnie, je verse une somme d'argent conséquente à votre père. Vous devrez rester avec moi assez longtemps pour que j'estime avoir suffisamment joui de vous.

— Joui ?

Natalie rougit malgré elle, traversée par une brusque vague de chaleur. Ce mot pouvait avoir plusieurs significations, pourquoi bloquait-elle sur la connotation la plus sexuelle ? Harponnée par le regard d'azur de Ludo, elle attendit sa réponse.

— Oui, que je puisse profiter de votre prestation, et apprécier votre implication totale dans le rôle.

— Je ne suis pas une comédienne. Je peux vous garantir que je ferai de mon mieux, rien de plus.

Elle baissa les yeux vers le plancher ciré. Dans quel pétrin était-elle allée se fourrer ?

— Puis-je savoir quand vous comptez partir ?

— En ce qui me concerne, le plus tôt sera le mieux. Pouvez-vous être disponible d'ici à une semaine ?

— Si vite ? Je vais devoir prendre quelques dispositions avec ma mère pour notre gîte. J'espère que j'aurai assez d'une semaine pour tout mettre en place.

— Vous m'avez vanté vos talents d'organisatrice, je suis persuadé que vous aurez largement le temps de tout faire en une semaine. Vous devrez être prête à partir lundi prochain, je compte nous réserver un vol tôt dans la matinée. Comme nous décollerons d'Heathrow, je vous suggère de loger chez votre père la veille.

— Je pense que ça ne posera pas de problème.

— J'en suis persuadé. Surtout lorsqu'il saura que je ne suis pas le monstre sans cœur que vous suspectiez tous les deux au premier abord, répliqua-t-il d'un air taquin.

— Mon intention n'a jamais été de vous insulter en disant cela. J'étais juste en colère, comme l'aurait été n'importe quelle fille soucieuse du bien-être de son père, en l'imaginant crouler sous les dettes pendant des années. Cela m'a semblé terriblement injuste qu'après avoir bâti cette entreprise à la sueur de son front, il soit contraint de la revendre sans même espérer en retirer de quoi vivre.

Elle ne regrettait pas ses paroles, mais Ludo l'embarrassait à lui rappeler ainsi les désagréables circonstances de cette réunion.

Les joues rosies par la gêne, elle baissa les yeux sur sa montre.

— Il faut que j'y aille, maintenant, mais il me reste quelque chose à vous dire avant de partir, précisa-t-elle en se mordant la lèvre : je suis désolée, pour votre frère. Ce décès a dû être une épreuve terrible pour vous et votre famille. Je compatis sincèrement.

Une ombre passa, obscurcissant un instant le regard de Ludo.

— Terrible est un adjectif bien dérisoire, murmura-t-il en se passant avec maladresse la main dans les cheveux, mais j'apprécie votre sollicitude.

— Bien, il est temps que je vous quitte. J'imagine que vous me passerez un coup de fil pour me donner l'heure du vol ?

— Comptez sur moi.

Ludo la raccompagna à la porte et posa sa main sur son bras.

— Je ne vous téléphonerai pas uniquement à ce sujet. Je vous appellerai dans la semaine. Sans doute plutôt le soir après le travail. Il me semble important que nous apprenions à nous connaître avant ce voyage, non ?

— Papoter au téléphone n'est pas la meilleure façon pour apprendre à connaître quelqu'un, mais j'imagine que c'est mieux que rien.

— Je rêverai de pouvoir me libérer davantage, mais mon agenda est plein cette semaine. Nous devrons donc nous contenter de ce moyen de communication.

Natalie acquiesça, même si au fond, elle était déçue. Elle l'avait dans la peau et cela s'était fait à une telle vitesse ! Jamais elle n'avait ressenti une telle empathie avec un homme et ses propres réactions la surprenaient.

— Parfait. Alors on s'appelle dans la semaine, murmura-t-elle.

— Entendu. Oh ! tant que j'y pense, lorsque nous arriverons à Rhodes, ce sera la saison chaude. Pensez à prendre des vêtements légers et de la crème solaire.

Il lui adressa un sourire chaleureux, débarrassé de la

tristesse qu'il avait ressentie à l'évocation de son défunt frère. Natalie nourrissait l'espoir qu'il accepte d'en parler de nouveau avec elle lorsqu'ils seraient tous les deux en Grèce. Il lui restait tant de choses à découvrir chez cet homme complexe !

— J'y penserai.

Saisie par un brusque accès de timidité, elle tourna la poignée en cuivre de la porte et rejoignit la réception, accueillie par les regards inquisiteurs des collaborateurs de Ludo.

Elle avait annoncé à son père que Ludo avait sensiblement augmenté le prix de rachat. Cette nouvelle l'avait apaisé et c'est le cœur plus tranquille qu'elle était revenue dans le Hampshire le lendemain, hésitant entre espoir et doutes.

Elle n'en revenait toujours pas d'avoir accepté un tel marché ! Partir en Grèce avec Ludo dans une semaine pour convaincre ses parents qu'ils étaient fiancés… Ils la perceraient à jour à la minute où elle franchirait le pas de leur porte, une fille aussi ordinaire qu'elle ! Elle était à des années-lumière de ressembler à ces femmes que l'on voyait pendues au bras des milliardaires sur les couvertures des magazines.

Pourtant, lorsque Ludo lui téléphona, le lendemain soir, ses doutes s'évanouirent, laissant la place à un optimisme inattendu. Il lui avait suffi d'ouvrir la bouche pour qu'elle retrouve sa sérénité.

— C'est moi… Ludo, s'annonça-t-il.

Natalie s'apprêtait alors à prendre un bain. Elle resserra instinctivement les pans de son peignoir, comme s'il venait de se matérialiser dans la pièce et que son regard de cobalt arpentait son corps à demi nu. Elle se laissa tomber sur le lit en priant pour qu'il ne sente pas à sa voix combien son coup de fil l'affectait. Malgré leur voyage commun en Grèce, elle avait du mal à se faire à l'idée que l'homme d'affaires puisse l'appeler.

— Salut, répondit-elle d'une voix qu'elle aurait voulu détendue, comment allez-vous ?

— Je suis épuisé et j'ai vraiment besoin de vacances.

La réponse franche et sans faux-fuyants la prit au dépourvu.

— Dites-vous que vous n'avez pas longtemps à attendre, le réconforta-t-elle, encore quelques jours à tenir.

— Inutile de vous demander si vous êtes toujours décidée à m'accompagner ?

— Inutile en effet, répondit-elle très vite, le cœur cognant dans sa poitrine. Quand je donne ma parole, je m'y tiens.

— Parfait. Vous avez de quoi noter ? Je vais vous donner les informations concernant notre vol.

— C'est tout ? s'enquit-elle après avoir tout noté.

— Non, l'entendit-elle sourire à l'autre bout du fil, j'aimerais qu'on prenne un peu le temps de discuter. Qu'avez-vous fait de votre journée ?

Natalie poussa un léger soupir en caressant le tissu-éponge de son peignoir. S'il voulait papoter un peu, son bain allait être froid, songea-t-elle malgré elle.

— Ce que j'ai fait ? J'ai planifié l'organisation du gîte pour la durée de mon absence et j'ai fait un peu de gestion administrative. Rien de passionnant, je le crains. Pendant ce temps, ma mère préparait des pâtisseries. Vers 15 heures, elle m'a apporté des scones fait maison avec un peu de confiture et un café. Personne au monde ne lui arrive à la cheville pour la préparation des scones !

— Votre voix est très excitante, Natalie, je ne suis certainement pas le premier à vous le dire.

Elle tourna la tête en tous sens, troublée par cette sensation qu'il était là, près d'elle. Elle ne trouva rien à répondre, mais visualisa son image, le tracé de ses joues bronzées, son menton à la fois fin et solide, ses yeux profonds couleur de saphir.

— Natalie, vous êtes toujours là ?

— Oui, je suis là, mais je m'étais fait couler un bain juste avant votre appel et il doit être en train de refroidir. Je vais devoir raccrocher.

Elle se leva et gagna la salle de bains dont la porte était entrouverte. Qu'allait-il répondre à ça ? se demanda-t-elle avec anxiété. Il l'avait vraiment prise au dépourvu en lui avouant qu'il jugeait sa voix… excitante.

— Dans ce cas, allez prendre votre bain, mais gardez à l'esprit que je ne réussirai sans doute pas à dormir cette nuit à cause de vous. Je vais être hanté par l'image de votre corps nu dans ce bain, cerné par les bulles. Lorsque je rappellerai demain, j'espère que vous conclurez notre conversation sur une note moins… provocante. Bonne nuit, Natalie, dormez bien.

Le temps qu'elle se remette de leur conversation, le bain était trop froid pour qu'elle s'y plonge. Elle y renonça à regret, tira la bonde et se laissa une nouvelle fois aller à songer à Ludo tout en contemplant l'eau qui disparaissait dans un large tourbillon.

Pour Ludo, le voyage de retour vers la Grèce fut loin d'être une promenade de santé. Son tourment intérieur l'avait empêché de se détendre. Il n'y avait pourtant rien à redire au sujet du vol en lui-même. C'était son premier voyage d'agrément depuis une éternité, il avait donc loué un jet privé doté de tout le luxe possible. L'équipage avait été aux petits soins et le vol s'était déroulé sans anicroches, sans même un trou d'air. Lorsqu'il avait retrouvé Natalie à l'aéroport, elle portait une robe colorée et le vent jouait dans ses cheveux. Pourtant, si excitante qu'elle soit, cela n'avait pas suffi à changer son humeur morose.

Ludo avait énormément apprécié leurs conversations nocturnes, il en était même venu à les attendre avec impatience. Mais lorsqu'elle avait essayé d'engager le dialogue dans l'avion sur des sujets anodins, il avait été incapable de lui répondre avec légèreté, avec l'enthousiasme dont il avait fait preuve au téléphone. En fait, son humeur se dégradait à mesure qu'ils approchaient de leur destination.

Il s'était entretenu avec sa mère au téléphone le matin même et en gardait un goût amer. Il avait été heureux d'entendre sa voix et de pouvoir lui donner de bonnes nouvelles, bien sûr, mais cela n'allégeait pas pour autant le poids de la culpabilité qu'il portait depuis la mort de son frère. C'est la gorge nouée que Ludo avait perçu dans la voix de sa mère une émotion palpable à l'idée de le revoir enfin après trois longues années d'absence. Elle ne lui avait fait aucun reproche, pas la moindre réprimande qui n'aurait fait qu'ajouter à sa culpabilité et paradoxalement, cela compliquait les choses pour lui.

Ses parents avaient offert d'envoyer une voiture les accueillir à l'aéroport et les mener jusqu'à leur spacieuse villa, mais Ludo avait décliné leur offre avec politesse. Il avait prétexté vouloir résider avec Natalie dans sa propre villa du bord de mer et prendre quelques jours de repos avant de leur rendre visite. Il était resté de longs mois loin de la Grèce, mais il lui faudrait encore un petit temps d'adaptation avant de s'y sentir de nouveau chez lui.

Sa mère avait témoigné une curiosité bien naturelle à l'égard de Natalie.

— Comment est-elle ? avait-elle demandé. Est-ce que tu es heureux avec elle ?

Ludo s'était contenté de répondre que c'était une fille charmante et d'un naturel généreux, tout en réprimant la vague de culpabilité qui l'avait envahi en songeant à l'engrenage dans lequel il venait de mettre le doigt.

Il ne parvenait pas à se l'expliquer, mais il avait la certitude diffuse que cette mystification pouvait aboutir à une conclusion heureuse. Natalie avait toujours su trouver les mots pour le réconforter et la perspective de la retrouver le soir lui avait permis de supporter certaines journées pénibles. Jamais il n'avait eu un tel lien avec une femme. Lorsqu'il repensa à leur baiser brûlant dans son bureau, il lui apparut que la présence de Natalie à ses côtés lui permettrait de mieux franchir les obstacles qui se dresseraient immanquablement sur sa route.

Ils étaient en phase d'approche de leur destination finale lorsque Natalie le prit au dépourvu en lui servant une tirade inattendue.

— Vous n'ignorez pas que si je vous accompagne, ce n'est pas juste pour le plaisir de revoir la Grèce ou de prendre des vacances, mais avant tout parce que vous m'avez fait une offre que je ne pouvais pas refuser. Je ne saute pas exactement de joie à l'idée de jouer les fiancées, mais je respecte votre décision d'acquérir à sa juste valeur l'entreprise de mon père. C'est la raison pour laquelle j'ai l'intention d'honorer ma part du contrat. Mais je trouve que vous pourriez faire un effort pour m'adresser la parole. Si vous avez des scrupules, annulons cette mascarade et dès notre atterrissage, je sauterai dans le premier avion pour Londres !

Ludo eut l'impression qu'elle venait de lui jeter un seau d'eau glacée au visage. Son ego en prit un coup, apprenant qu'elle jouerait à regret le rôle de sa fiancée et qu'elle était prête à rentrer chez elle. Il pivota sur son siège et fut saisi de remords face à ce beau visage méfiant.

— Je ne veux surtout pas que vous partiez, *paidi mou*, et pardonnez-moi de me montrer aussi taciturne. Vous n'y êtes pour rien, j'ai des… préoccupations personnelles, rien de plus.

Natalie croisa les bras sur le tissu coloré de sa robe.

— Des préoccupations qui ont à voir avec votre frère et votre retour en Grèce ? Je ne voudrais pas vous forcer la main, mais vous ne croyez pas que l'on avancerait plus vite si vous acceptiez de vous livrer un peu ? Vos parents risquent de trouver étrange que je ne sache rien de votre frère ou de votre relation avec lui.

Elle avait tout à fait raison et il se rendait maintenant compte qu'il n'avait pas suffisamment bien préparé sa mystification. Cela serait douloureux et pénible, mais il n'avait pas le choix, il devait lui parler de Théo.

Les mains nouées, le cœur cavalant dans sa poitrine, il rassembla ses idées.

— Bien. Je vais donc vous parler de mon frère… Par où commencer ? C'était une force de la nature, le Colosse de Rhodes de la famille. Mais il était aussi solidement bâti que son cœur était grand. Dès son entrée à l'école de médecine, il a su qu'il voulait dédier sa vie aux enfants. Et c'est ce qu'il a fait en devenant pédiatre. Que ce soit à la clinique ou durant ses gardes à l'hôpital, tous les enfants l'adoraient. Il possédait ce talent rare de parvenir à les convaincre lorsqu'il leur promettait qu'ils iraient mieux… et la magie opérait aussi avec leurs parents. Et neuf fois sur dix, il tenait sa parole. Il n'a pas fallu longtemps pour qu'on le demande aux quatre coins de Grèce, puis un peu partout en Europe.

Natalie l'encouragea à poursuivre d'un beau sourire.

— A vous entendre, c'était quelqu'un de très bien. Vous et vos parents deviez être très fiers de lui.

— Tout le monde l'appréciait. C'était un privilège de côtoyer un homme tel que lui, alors être son frère…

— Etait-il marié, avait-il des enfants ?

Natalie avait rougi en posant la question, comme chaque fois qu'elle était embarrassée, avait-il remarqué.

— Non, soupira-t-il, il avait coutume de dire qu'il était marié à son travail. Mais s'il n'était le père biologique d'aucun d'entre eux, il avait beaucoup d'enfants.

— J'aurais aimé le rencontrer.

— Si vous aviez croisé sa route, vous ne m'auriez

même pas accordé un regard, répliqua tristement Ludo sans même réfléchir.

Natalie leva un sourcil étonné.

— Pourquoi dites-vous ça ? Vous avez de nombreux atouts pour vous — et je ne fais pas référence à votre fortune.

— Mon frère forçait le respect par sa nature généreuse, par son désir d'apaiser les souffrances des enfants dans la détresse. Comparés aux siens, mes succès semblent bien dérisoires ; nous ne boxions pas dans la même catégorie.

— Je ne peux pas vous laisser dire ça. Peu de gens possèdent votre talent de changer le plomb en or, de l'or qui permet de créer des emplois. Je suis certaine que votre famille est fière de vous, tout autant qu'elle pouvait l'être de votre défunt frère.

— Mes parents seraient sans doute de votre avis, mais je n'arrive pas à la cheville de Théo, c'était un homme d'exception… il est irremplaçable.

Comme Natalie ne répondait rien, Ludo regretta soudain de s'être montré aussi franc. Lui qui n'avait jamais recherché la compassion de son prochain, voilà qu'il était touché par sa gentillesse naturelle.

Il se dépêcha de trouver un autre sujet de discussion.

— J'aurais dû vous poser la question bien avant, mais comment vos parents ont-ils accueilli la nouvelle de notre voyage ?

Ludo ne voulait surtout pas qu'elle se retrouve en porte à faux vis-à-vis de sa famille à cause de lui. Il ne voulait pas non plus qu'elle ait à supporter leurs critiques une fois rentrée. Cela risquait de donner un goût encore plus amer à toute cette aventure. Dans sa culture, la famille passait avant tout le reste, aussi comprenait-il parfaitement le point de vue de Natalie à ce sujet. Rien d'extraordinaire à ce qu'elle refuse de leur faire honte en s'envolant ainsi avec un parfait inconnu. Il n'avait vu son père qu'une seule fois, et dans des conditions telles qu'il n'avait pas dû faire très bonne impression.

Ludo observa la jeune femme, frappé par sa générosité naturelle et son empathie. Et en plus, elle était jolie… Peu à peu, il sentait son humeur maussade se dissiper.

— Mon père a commencé par se montrer très inquiet, confessa Natalie, et quand je lui ai expliqué que vous aviez augmenté votre proposition de reprise, il a eu peur que ce soit une manœuvre de votre part pour acheter mes faveurs.

Ses joues de porcelaine arborèrent alors un rose magnifique. Ludo ne prit pas ombrage de la réaction de Bill Carr. Il comprenait l'inquiétude légitime de son père et il appréciait que Natalie la lui expose, car cela lui offrait une occasion de mettre les choses à plat.

— J'ai une réputation méritée d'homme d'affaires sans pitié, mais je ne suis pas un maître chanteur. Votre père croit-il vraiment que je doive m'abaisser à ce genre de pratiques pour devenir votre amant ?

Il lui effleura les lèvres du bout des doigts, attendant sa réponse avec impatience.

— Est-ce le cas, Natalie ?

# 6.

Natalie écarquilla les yeux.

— Bien sûr que non ! J'ai encore suffisamment de jugeote pour décider si je veux d'un homme dans mon lit ou pas sans qu'on me force la main, qu'on me promette de l'argent ou je ne sais quoi d'autre.

Elle fit la moue et laissa retomber ses longs cheveux soyeux sur son visage, comme pour se dissimuler aux yeux de Ludo. Il aurait aussitôt saisi l'occasion pour discipliner ses mèches rebelles en les ramenant tendrement derrière son oreille si elle n'avait pas repris la parole.

— J'ai dit à mon père que malgré votre fortune et votre statut, vous étiez *a priori* un homme respectable. Je lui ai dit aussi que selon vous, ce séjour en Grèce en votre compagnie pourrait m'être très profitable sur le plan professionnel.

— Vous avez omis de lui dire que je vous ai demandé de jouer le rôle de ma fiancée ?

Une fois encore, ses joues prirent la teinte du soleil couchant.

— Oui. J'ai jugé que c'était inutile.

— Je ne sais pas comment je dois prendre la description que vous avez faite de moi à votre père. *A priori* respectable ? C'est à se demander si vous en doutez.

— Non, je n'en doute pas.

Dans sa hâte de dissiper tout malentendu à ce sujet, elle avait posé sa main sur celle de Ludo. Un contact anodin qui déclencha chez lui le désir immédiat de la renverser sur le siège et de lui faire l'amour séance tenante. C'est pourtant cette pulsion qu'il réprima en sentant sa main froide sur la sienne et en respirant son parfum envoûtant.

— Je n'en doute pas, même si vous avez refusé que je vous rembourse, poursuivit-elle, je n'ai pas oublié la générosité dont vous avez fait preuve en payant mon billet de train. Peu de gens auraient ce genre de geste spontané, à mes yeux cela suffit à faire de vous quelqu'un de respectable.

Ludo relâcha les épaules, libéré d'une tension qu'il n'avait pas perçue jusque-là. D'habitude il se moquait de ce que ses futures maîtresses pouvaient penser de lui, mais avec Natalie… il avait besoin qu'elle ait de l'estime pour lui. Les conversations téléphoniques nocturnes qu'ils avaient échangées avaient joué un grand rôle dans ce changement de posture. Elle avait évoqué à quel point elle se souciait du bien-être de ses proches et même des clients de son gîte. Sa gentillesse sans limites avait touché Ludo au cœur.

— J'avoue que cela me rassure. Et votre mère ? Qu'a-t-elle pensé de ce voyage ? Lui avez-vous révélé mon identité, *glykia mou* ?

— Oui.

— Et quelle a été sa réaction ?

A son grand désarroi, elle retira sa main en haussant les épaules.

— Elle m'a conseillé d'être prudente. Elle m'a chargée de vous transmettre ses condoléances pour votre frère, dont elle a entendu parler. Elle connaissait sa réputation de pédiatre hors pair et savait que la communauté grecque avait beaucoup d'estime pour lui.

Ludo savait déjà que la mère de Natalie était grecque, mais il fut désarçonné de constater qu'elle connaissait son frère et plus encore qu'elle était au courant de son décès. Pourquoi avait-elle mis Natalie en garde contre lui ? Sans nul doute parce qu'il ne jouissait pas de la même réputation éclatante que son frère. *Rien de neuf sous le soleil.* Son humeur enjouée fondit d'un coup.

— Espérons que vous soyez parvenue à la rassurer. Manifestement, elle se méfie de moi…

— Toutes les mères du monde s'inquiètent en voyant leur fille partir au bras d'un inconnu.

— Eh bien, ma belle Natalie, je vais faire mon possible pour apaiser ses craintes et vous rendre à elle intacte, conclut-il avec un sourire en demi-teinte.

Il fit signe à un membre du personnel de bord et on lui servit aussitôt un verre de Rémy Martin.

Dès leur arrivée dans la luxueuse villa, Allena la gouvernante et son mari Christos les accueillirent sur le perron. Ils prirent Ludo dans leurs bras avec une chaleur qu'il avait oubliée et il fut presque gêné de leur enthousiasme. Il se rendit compte alors à quel point leurs visages familiers lui avaient manqué.

Ils se montrèrent moins démonstratifs envers Natalie, mais ne cachèrent pas leur plaisir de faire sa connaissance, ni leur curiosité enthousiaste. Ils avaient certainement entendu dire qu'il amenait sa fiancée. Une vague de culpabilité l'envahit de nouveau, qu'il chassa aussitôt. Il revenait rendre visite à ses parents, c'était déjà bien, non ?

Allena leur avait préparé quelque chose de spécial pour le dîner, avait-elle dit, et des boissons fraîches les attendaient sur la terrasse. Aidé de sa femme, Christos sortit les bagages de la voiture et monta les disposer dans leur chambre. Ludo fut soulagé d'avoir Natalie pour lui seul, dans le confort de sa propre maison. Il la guida à travers le salon vitré vers la vaste terrasse qui donnait sur la mer, savourant à l'avance son émerveillement.

L'océan turquoise scintillait dans le soleil couchant,

comme un tapis de diamant qui se déroulait jusqu'à sa porte. Un vent tiède venait leur caresser la peau en leur apportant les effluves entêtants des bougainvilliers qui grimpaient à l'assaut des murs blancs ceinturant la villa. Difficile de croire que tout cela était réel… Depuis le temps qu'elle rêvait de revenir en Grèce, voilà qu'elle se retrouvait en pleine idylle avec un homme séduisant et charismatique ; elle nageait en plein fantasme.

— Quelle vue magnifique ! C'est à couper le souffle. C'est encore plus beau que je ne me l'étais imaginé, s'extasia-t-elle, les mains posées sur la balustrade.

— Beaucoup de gens l'appellent le joyau de la mer Egée, expliqua Ludo avec un sourire.

— C'est mérité.

— Personnellement, je pense que ce titre devrait revenir à mon île, tempéra Ludo en secouant la tête.

— Comment ça, *votre* île ?

Natalie sentit son cœur accélérer sans bien en comprendre la raison.

— On l'appelle Margaritari, ce qui signifie « perle » en grec.

— C'est très joli. Et cette île ? Elle est située dans un endroit que vous aimez tout particulièrement ?

Il se tourna vers l'océan et le vent ramena une mèche sur son front. Il contracta les muscles de la mâchoire et demeura ainsi, immobile.

— J'en suis tombé amoureux et je l'ai achetée. Mais cet amour a disparu depuis que mon frère y a trouvé la mort dans un tragique accident de bateau.

Le temps que Natalie assimile cet aveu, Ludo était allé s'asseoir sur une chaise en osier, près d'une table basse.

— J… je ne sais pas quoi dire…

Elle vint se placer de l'autre côté de la table afin de mieux le voir.

— C'est tragique que ce drame soit survenu précisément dans les eaux entourant votre île.

Le pauvre devait être accablé de chagrin et de culpabilité. Se reprochait-il cet accident ? Etait-ce dans cette tragédie que ses moments d'absence prenaient leur source ? Etait-ce de là que venait ce sentiment d'infériorité par rapport à Théo ?

— Oui… tragique, répéta-t-il sans même chercher à dissimuler son chagrin. Je l'ai souvent harcelé pour qu'il s'autorise des vacances et qu'il profite de l'île comme bon lui semblerait. L'endroit est privé et seules les personnes que j'invite y sont autorisées. C'est un endroit magique. J'avais l'espoir que cette magie opère sur lui et l'aide à lâcher du lest. Il prenait peu de congés et mes parents s'inquiétaient toujours de sa mine fatiguée.

Incapable de tenir en place, Ludo se releva, fit le tour de la table et vint se placer face à Natalie. Ses yeux si bleus qu'ils en étaient presque gris trahissaient une douleur infinie qui lui serra le cœur.

— Il a finalement cédé et est venu s'installer ici. Un jour, il a pris un bateau… qui a chaviré. On ignore les circonstances précises. Théo était un marin accompli, mais j'ai appris plus tard que le vent s'était soudain levé, ce jour-là. Il semblerait que cela ait suffi à briser le mât et à renverser le bateau avant qu'il n'ait eu le temps de faire quoi que ce soit. Théo était bon nageur, mais le médecin légiste nous a expliqué que la fatigue a pu amoindrir ses réflexes. C'est pourquoi il s'est retrouvé pris sous le bateau et s'est noyé.

— Ludo, je suis désolée, vraiment.

— Un drame pareil, une perte si cruelle… on ne s'en remet jamais.

Poussée par son instinct, Natalie vint se blottir contre lui pour le réconforter. Elle le sentit se raidir, aussi immobile qu'un tronc d'arbre, sans la moindre réaction. Elle fut saisie d'effroi en songeant qu'elle avait peut-être commis un impair, mais lorsqu'elle voulut s'écarter, Ludo lui saisit les épaules et plaqua sa bouche contre la sienne. Ce fut un baiser puissant, impérieux, passionné, qui la laissa pantelante. Puis une décharge de désir pur la traversa comme un éclair déchirant la nuit et elle émit un soupir qu'elle ne reconnut pas. C'était comme une fièvre langoureuse qui la poussait à lui rendre son baiser avec une égale fougue, à laisser ses mains parcourir son corps puissant. Elle perçut la raideur de son désir contre son ventre et il ne tarda pas à lui rendre ses caresses en saisissant ses seins.

Comment les choses avaient-elles pu s'emballer à ce point ? songea-t-elle en esquissant un mouvement de recul. Mais Ludo la tint fermement et abaissa vers elle un regard accompagné d'un sourire qui en disait long.

— Et où crois-tu aller comme ça ? demanda t il d'une voix si mâle qu'elle en perdit toute volonté.

— Je n'aurais pas dû faire ça, souffla-t-elle, conquise par son regard de cobalt.

Il posa ses mains sur les hanches de Natalie et ignora sa remarque, absorbé dans la contemplation de sa bouche.

— Tu as fait exactement ce qu'il fallait, *paidi mou*. Crois-moi. J'étais en train de sombrer dans l'obscurité et tu m'as ramené vers la lumière…

— Alors, je ne regrette rien, murmura-t-elle en souriant, sans parvenir à détacher son regard du sien, incapable de bouger ou de réfléchir.

— Alors, je suis comblé.

Il saisit avec douceur l'une de ses mèches brunes, qu'il enroula autour de son doigt. Il la contempla comme on admire un trésor.

Si la gouvernante n'était pas apparue à ce moment-là, sans doute serait-il resté à la contempler jusqu'à la fin du monde.

— Excusez-moi, M. Petrakis, vos chambres sont prêtes, l'informa Allena dans un anglais imparfait mais charmant, destiné sans aucun doute à rendre le séjour de Natalie plus agréable.

— *Efharisto*, Allena, répondit Ludo en libérant à regret la mèche brune.

Natalie se retourna lentement, avec le sentiment coupable d'avoir été prise sur la main dans le sac. Elle rougit, les lèvres encore brûlantes de ce baiser intense et l'esprit embrumé par les effluves de son eau de Cologne. Puis elle se souvint que la situation n'avait rien de gênant puisqu'elle était supposée être la fiancée du milliardaire. L'aura de sensualité qui entourait Ludo refusait pourtant de se dissiper et continuait de la troubler.

— Viens.

Il lui prit le bras et la guida dans la fraîcheur du salon. Ils montèrent une volée de marches de marbre et Natalie s'accrocha à l'espoir qu'Allena avait bien dit « chambres » au pluriel. Elle ressentait une attirance indéniable pour Ludo, mais de là à s'imaginer au lit avec lui… Son expérience dans le domaine était plutôt… limitée. On pouvait même affirmer sans crainte qu'elle était inexistante. Pas étonnant qu'elle soit aussi tendue, sans compter qu'elle devrait rencontrer les parents de Ludo le lendemain et jouer les futures mariées ! Et s'ils la perçaient à jour ?

— Cette chambre est à toi, indiqua Ludo en lui faisant signe d'entrer dans la grande pièce spacieuse.

Elle fit le tour de la chambre et son cœur fit un bon lorsqu'elle vit l'immense lit aux montants de bois sculptés. C'était un lit de princesse. Draps de soie couleur miel et baldaquin aux drapés assortis, coussins… C'était un lit fait pour le plaisir, songea Natalie en prenant conscience que Ludo observait probablement sa réaction.

Elle se força à ne pas contempler trop longtemps sa future couche et fit mine de s'intéresser aux toiles accrochées aux murs… elle comprit son erreur en contemplant les reproductions de scènes érotiques issues de la mythologie grecque. Il y avait une élégante reproduction du *Réveil d'Adonis* de John Waterhouse et deux magnifiques peintures à l'huile représentant Aphrodite et Andromède.

Cette dernière y était représentée attachée au rocher, juste avant que Persée ne vienne la délivrer et la sauver du monstre marin.

Puis son regard passa sur une toile mettant en scène deux femmes à la poitrine nue et son sang commença à bouillir sous le regard scrutateur de Ludo. Depuis qu'elle l'avait rencontré, Natalie se sentait infiniment plus femme, elle s'éveillait à des désirs qui dormaient au plus profond d'elle-même depuis trop longtemps, inassouvis.

Elle se détourna du mur, et son regard tomba sur la fenêtre. Elle poussa un silencieux soupir de soulagement. La baie vitrée s'ouvrait sur un panorama à couper le souffle. L'océan scintillant s'offrait à elle et la brise lui apportait les fragrances odorantes des bougainvilliers et des pins qui ceinturaient la propriété. C'était un cadeau magnifique que lui offrait la nature et Natalie se retourna pour partager son émerveillement et sa joie avec son hôte.

— Je suis sans voix. J'ai rarement vu quelque chose d'aussi beau, j'ai beaucoup de chance d'être ici, affirma-t-elle en souriant.

Son sourire se fana devant l'expression étrange de Ludo.

— Chanceuse d'être ici avec moi ou chanceuse d'être tombée amoureuse de mon pays ? demanda-t-il pour la taquiner.

— Mon amour pour la Grèce remonte à loin, murmura-t-elle en croisant les bras, c'est aussi le pays d'origine de ma mère, n'oublie pas.

— Comment aurais-je pu l'oublier, mon ange ? répliqua-t-il en se rapprochant d'elle.

Son regard avait la chaleur du soleil et fit fondre toutes ses défenses. Elle épousseta sa robe pour se donner une contenance.

— Tu disais... tu as dit que c'était ma chambre, n'est-ce pas ? Il faut que je sache si tu comptes l'occuper aussi.

— Non, Natalie, ce n'est pas dans mes projets, répondit-il avec un accent énigmatique. Si nous devions partager une chambre, ce serait la mienne et uniquement si tu y viens de ton plein gré. Elle est juste à côté, et ma porte te sera toujours ouverte durant la nuit si tu veux me rendre visite, *glykia mou*.

Ce n'était pas la réponse à laquelle elle s'était attendue. Pourquoi ne pas l'avoir contrainte à se comporter comme sa fiancée, pourquoi ne pas lui avoir imposé de dormir avec lui dès le premier jour ? C'était d'autant plus incompréhensible après le baiser fiévreux qu'ils avaient échangé en bas. Oui, sa réaction la perturbait.

— C'est parfait, répondit-elle, sur la défensive, tant que tu ne prends pas pour acquis que je viendrai effectivement te rendre visite. Après tout, nous faisons juste semblant d'être fiancés, n'est-ce pas ? ajouta-t-elle en rougissant.

Ludo étouffa un petit rire tout en repoussant une mèche tombée sur sa joue rose. Un geste anodin qui porta à ses narines la puissance musquée de son eau de Cologne.

— Tu es vraiment une femme charmante, *glykia mou*, mais je te rappelle que nous avons conclu un accord.

Natalie releva le menton avec une assurance qu'elle était loin de ressentir.

— En effet, mais pour autant que je me souvienne, il n'était pas question de sexe. J'ai accepté de t'accompagner en Grèce et de *jouer le rôle* de ta fiancée, pas d'avoir des relations intimes avec toi.

— Es-tu en train de me dire que tu ne me trouves pas attirant ?

— Après le baiser de tout à l'heure, je mentirais en affirmant une chose pareille, mais ce n'est pas parce que tu m'attires que je vais accepter de coucher avec toi en un claquement de doigts.

— Vraiment ? lança-t-il, provocateur, avant de capturer une nouvelle fois ses lèvres.

Elle ouvrit la bouche malgré elle pour accueillir sa langue, tandis que ses mains glissaient avec autorité vers sa taille. Elle laissa échapper un gémissement de plaisir en sentant contre elle la chaleur de son corps musclé, à travers la chemise de lin. S'il continuait à la maintenir ainsi sous contrôle avec ses baisers, sa belle résolution à ne pas lui rendre visite dans sa chambre ne tiendrait pas longtemps… et les conséquences que cela pourrait entraîner la terrifiaient !

Au prix d'un immense effort de volonté, elle parvint à se détacher de lui et à afficher un sourire blasé.

— M'offrirais-tu un moment pour défaire mes affaires ? On pourrait se retrouver en bas autour d'un verre lorsque j'aurais terminé ?

— Tu es dure en négociations, à ce que je vois. Qu'est-ce que tu cherches ? Tu veux me rendre fou de désir pour que je cède au tien ?

— A t'entendre, on dirait que j'ai mis sur pied un plan machiavélique. Ce n'est pas le cas. Si je suis ici, c'est uniquement parce que tu as offert davantage d'argent à mon père. Tu as respecté ta part du marché lorsque nous étions en Angleterre et maintenant je respecte la mienne. Je n'attends rien d'autre de cette escapade, à part peut-être profiter de belles vacances. Cela fait une éternité que je n'ai pas pris de temps pour moi.

L'Adonis qui lui faisait face eut un geste d'impuissance.

— Eh bien, dans ce cas, je te laisse ranger tes affaires et on se retrouve sur la terrasse dès que tu peux. Je tiens à tirer une chose au clair, cependant : mon intention est de monopoliser chaque instant de ton temps ici, afin que lorsque sonnera l'heure de ton départ l'idée même d'être séparée de moi et de quitter ce pays te brise le cœur !

Furieux, il quitta la pièce sans même un regard en arrière et Natalie se laissa tomber sur le lit drapé de soie, choquée par cet accès de rage.

*
* *

Ludo n'était pas le genre d'homme à digérer aisément la frustration. Après une longue douche froide qui fut impuissante à calmer son désir pour elle, il se dirigea vers le balcon de sa chambre pour se perdre dans la contemplation de ce magnifique paysage de Méditerranée, dont il s'était privé durant trois années. Les images se mêlèrent dans son esprit. Le corps et le visage de Natalie, des souvenirs de son enfance…

Il prit une profonde inspiration et se résolut à mieux maîtriser ses émotions à l'avenir. Il commençait à peine à se détendre lorsqu'il aperçut la voile blanche d'un navire sur l'horizon scintillant. Il avait à peu près la même taille que le bateau sur lequel avait embarqué son frère en quittant Margaritari. *Pourquoi n'ai-je pas insisté pour qu'il prenne un bateau plus robuste ? Il aurait eu plus de chances face à ces vents violents… Il ne se serait pas noyé.*

Le cœur serré par le chagrin et les remords, Ludo se souvint de la réponse de son frère.

*Il faut plus d'un marin pour manœuvrer un gros bateau, petit frère, et je voudrais être seul pendant ce voyage. Je suis toujours cerné par la foule, dans mon travail, et même la nuit je reçois des coups de fil. Un petit bateau me conviendra très bien.*

Ludo, soudain essoufflé, porta la main à son cœur. Un jour ou l'autre, il serait forcé de tirer cette histoire au clair, sans quoi le cortège infini des *et si* et des *si j'avais* le hanterait jusqu'à la fin de ses jours. Il le devait à Théo, pour faire honneur à sa vie exemplaire faite d'abnégation et de don de soi. Pour que jamais on ne l'oublie.

Une fois de plus, il chassa les nuages qui encombraient son esprit en invoquant le visage de miel et les lèvres sensuelles de Natalie, la sensation de son corps chaud contre le sien. Il s'autorisa même un sourire satisfait en se demandant si ce soir il aurait le bonheur de recevoir sa visite. Cela faisait bien une heure qu'il l'avait quittée pour lui permettre de défaire ses valises. Elle avait sans doute pris ce prétexte pour prendre une douche et se délasser après leur voyage… Elle devait avoir terminé maintenant, non ?

Il nota mentalement qu'elle n'avait pris qu'une petite valise et un sac fourre-tout. D'après son expérience, les femmes avaient l'habitude d'emporter beaucoup plus de bagages que ça lorsqu'elles partaient en vacances avec lui, mais il savait déjà que Natalie n'était pas une femme comme les autres. Elle n'était pas égocentrique ni vaniteuse et elle ne cherchait pas à impressionner qui que ce soit.

Quelques minutes passèrent avant qu'il ne toque à sa porte.

Personne.

Il s'élança dans l'escalier pour la retrouver.

# 7.

Natalie défit ses valises et suspendit ses affaires dans la penderie, le ventre noué à l'idée de devoir retrouver Ludo après son accès de colère. Ce n'était pas comme ça qu'elle s'était imaginé le début de son séjour en Grèce…

Elle prit une douche fraîche et rapide dans la luxueuse salle de bains en marbre — dotée de tout le confort imaginable — et passa l'une de ses robes préférées pour se donner un peu de baume au cœur. Elle était d'un orange volcanique, simplement retenue au cou et son drapé en tissu léger descendait jusqu'à ses pieds. Elle l'assortit de bracelets indiens et de sandales plates. C'était de ça qu'elle avait besoin pour se sentir en vacances. Ça et le soleil de Méditerranée… du moins tant qu'elle oubliait de penser à l'accès de rage de Ludo ou aux nombreuses chausse-trapes qu'elle allait devoir éviter dans son rôle de fiancée.

Qu'avait-il voulu dire en prétendant qu'au moment de partir, cette simple idée lui briserait le cœur ? Il semblait furieux à l'idée qu'elle puisse lui refuser quoi que ce soit. Sans doute était-ce le genre d'homme à compenser ses fêlures intimes par l'amour physique. Elle lui avait refusé ce réconfort et il s'était mis en colère : c'était cohérent. La mort de son frère et son exil contraint devaient peser lourd sur ses épaules, mais quoi qu'il ait pu vouloir dire, Natalie avait perçu une douleur telle dans sa voix que cela lui avait brisé le cœur.

*
* *

Ludo emprunta le passage couvert en forme d'arche qui menait à la salle à manger, dans la cuisine et au jardin aromatique sur lequel Allena et Christos veillaient affectueusement. Il comprit alors où Natalie s'était rendue. Lorsqu'il la retrouva, elle était en pleine conversation avec Christos et il fut heureux de constater qu'elle portait la plus exquise des robes orangées. Ses longs cheveux retenus sur le dessus de sa tête ne laissaient échapper que quelques mèches qui tombaient savamment sur son front. La coupe de son vêtement laissait voir son cou, ses épaules et son dos, et le tissu en lui-même flottait avec grâce autour de ses formes féminines.

Natalie pivota comme si elle avait perçu sa présence et ses joues rosirent légèrement, accentuant encore sa beauté. Un sourire lent et admiratif fleurit sur les lèvres de Ludo.

— Voilà donc où tu étais allée te cacher ! Je vois que tu t'es habillée pour le dîner, tu es aussi belle qu'Aphrodite en personne. Laisse-moi te regarder.

Il lui prit la main et la fit tourner sur elle-même afin d'admirer au mieux sa robe et sa magnifique silhouette. Derrière eux, Christos recula discrètement en direction du jardin, un sourire sur les lèvres.

— Tu ressembles à une nymphe dans cette robe, commenta-t-il d'une voix un peu rauque.

— Des créatures gracieuses mais éphémères, si je me souviens bien. Tu me comparerais à elles ? Quand j'étais gamine, mon père me trouvait aussi gracieuse qu'un éléphant doté de deux pieds gauches.

— Je t'aurais bien demandé s'il était aveugle, mais je l'ai déjà rencontré, alors…

— Non, je pense qu'il était juste réaliste.

— Et tu portes cette fausse certitude avec toi depuis l'enfance ?

— C'était des taquineries familiales sans conséquence, ça ne veut pas dire qu'il ne m'aimait pas.

Hypnotisé par ses pupilles argentées, Ludo ne résista pas à la tentation de la sentir contre lui, de percevoir le relief de ses formes féminines. C'était comme si chaque fois qu'il la touchait, chaque fois qu'il posait simplement les yeux sur elle, son sang se mettait à bouillonner d'un désir volcanique qui ne lui laisserait de répit que lorsqu'il lui aurait fait l'amour. Ce ne serait que lorsqu'il aurait lu dans ses yeux la même fièvre, le même désir, qu'il pourrait se sentir à peu près apaisé.

— Il aurait dû te répéter chaque jour combien tu es belle, combien tu lui étais précieuse, murmura-t-il en déposant un baiser sur sa joue de pêche.

— Il n'a peut-être jamais prononcé ces paroles exactes, mais je sais ce qu'il ressentait. Je ne veux pas que tu te fasses de fausses idées à son sujet. Je t'assure que sous ses dehors froids, il aime profondément ses proches.

Les mains toujours posées avec gourmandise sur les hanches aux courbes sensuelles de Natalie, Ludo s'abîma dans l'admiration de ses pupilles grises, tout en réfléchissant à sa remarque.

— Lors de notre première rencontre, je me souviens que tu hésitais à te qualifier de fille dévouée. De ce que j'ai pu en voir, c'est le cas, et je dirai même que tu l'es trop. Ce n'est pas ta faute s'il a développé de mauvaises habitudes qui l'ont conduit à devoir se séparer de son entreprise.

— Je le sais bien, contra Natalie en faisant un pas en arrière.

Ludo regretta aussitôt d'avoir évoqué la dette paternelle, même s'il estimait injuste qu'elle doive porter ce poids sur ses épaules. C'était une chose de prendre soin de ses parents, mais une autre de se sentir partie prenante de leurs erreurs. Il poussa un soupir las avant de lui offrir le plus charmant des sourires.

— Ne crois pas que j'essaie de t'imposer ma façon de voir les choses. Je trouve simplement que tu te déprécies trop. Et puis je te prie de m'excuser pour mes sautes d'humeur de tout à l'heure, mais j'ai une tendance naturelle à la franchise.

Il se rapprocha d'elle et joua une nouvelle fois avec l'une de ses mèches. D'abord timide, son sourire se fit large et généreux, comme le soleil émergeant derrière les nuages.

— Je ne suis pas fâchée, ce sont juste les tensions accumulées et le voyage qui me rendent irritable. Moi aussi j'aimerais être franche avec toi, Ludo. J'ai pour conviction que parler de ses souffrances, c'est déjà guérir un peu. Je sais que tu éprouves un chagrin immense pour la perte de ton frère, encore aujourd'hui, et que tu crains de faire face à tes parents après une si longue absence. Mais peut-être que cela pourrait t'aider si tu m'en parlais ? Je te promets de garder tes secrets pour moi, je me contenterai de t'écouter et de t'offrir mon soutien.

— Je sais que tu ferais ça pour moi, répondit-il avec gravité, comme tu le fais pour tous les abîmés de la vie et les cœurs brisés qui croisent ta route. Le gîte que tu tiens avec ta mère doit être une sorte d'annexe des bons samaritains... en plus confortable. Et puis qui refuserait de se confier à une beauté telle que toi ?

Ludo ne cherchait pas à se montrer cruel, mais il ne parvenait pas à refréner l'amertume qui montait en lui. Pourquoi n'avait-il pas eu quelqu'un comme elle près de lui lorsque son frère avait disparu ? Quelqu'un à qui il n'aurait pas craint de dévoiler tout ce qu'il avait sur le cœur ? Quelqu'un qui ne l'aurait pas jugé, quelqu'un qui n'aurait pas profité de sa faiblesse pour obtenir des faveurs ?

— Je suis désolé, Natalie, mais le moment est mal choisi pour les confessions. Plus tard, peut-être, mais pas pour l'instant.

Natalie lui offrit un autre de ses sourires compréhensifs et Ludo s'autorisa l'espace de quelques instants fugaces à s'y baigner, comme l'on profite d'une douce averse tropicale.

— Christos m'a parlé de ton jardin, enchaîna Natalie, il paraît que tu as des orangers et des citronniers. Je pourrais les voir ?

— Je serai heureux de te faire visiter le jardin, *glykia mou*.

Il la prit par le bras et ressentit une certaine fierté à l'idée qu'elle puisse s'intéresser à son jardin. Depuis l'enfance, il était passionné par les merveilles qu'offrait la nature, mais à part sa mère qui lui parlait souvent des bienfaits des plantes, il n'avait jamais rencontré aucune femme qui y soit sensible.

En les apercevant, Christos effleura le rebord de son chapeau en guise de salut et s'adressa à Ludo en grec.

— Vous arrivez au bon moment pour les oranges et les citrons, M. Petrakis, commenta-t-il, si vous étiez venus quelques jours plus tard, les fruits auraient déjà commencé à se gâter.

— Je sais. Et j'en profite pour vous remercier du travail magnifique que vous faites dans le jardin, Christos. Je suis convaincu que c'est votre main verte qui le rend si foisonnant et si beau.

— C'est un plaisir d'être à votre service, monsieur.

Ludo fut heureux d'entendre que son employé était toujours satisfait de travailler pour lui, même après toutes ces années. Lorsque le couple prendrait sa retraite, Ludo avait prévu de leur offrir une jolie maison avec un beau jardin, afin qu'ils puissent continuer à faire pousser des plantes.

Ludo guida Natalie plus loin sur le petit sentier pavé de pierres rouges qui menait au verger. Avant même d'y parvenir, ils sentirent le parfum des agrumes.

Natalie lui lâcha le bras pour frapper dans ses mains avec enthousiasme.

— Quelle odeur incroyable ! s'exclama-t-elle avec une sincérité enfantine qui combla le cœur de Ludo.

— Suis-moi et tu pourras admirer les fruits qui embaument l'air, l'invita-t-il en souriant.

C'était comme pénétrer dans le jardin d'Eden. Tous leurs sens furent invités à la fête. Sur un tapis d'herbe épais, les arbres ployaient sous le poids des fruits gorgés de soleil. Le plaisir que Natalie prenait à cette promenade fut décuplé par la sensation que son séduisant compagnon se détendait peu à peu. Et puis, il avait laissé la porte de son âme entrouverte en lui laissant entendre qu'il pourrait peut-être se confier à elle, plus tard. Une brise chaude passa sur le jardin, qui fit glisser sur le front de Ludo une boucle rebelle. Cela lui donna un air juvénile et Natalie l'imagina jouant avec insouciance, bien avant que ce drame ne vienne assombrir son âme, bien avant qu'il ne soit contraint de quitter son pays bien-aimé. Bien avant que ne s'ouvrent des plaies que le temps peinait à refermer.

— Je n'en crois pas mes yeux ! s'exclama-t-elle en portant instinctivement la main à son cœur. J'en viendrais presque à me demander ce que j'ai pu faire pour mériter de contempler un si beau spectacle.

Ludo ne répondit rien, mais la prit par la main. Que comptait-il faire ? Il l'entraîna à sa suite au pied d'un citronnier, cueillit un fruit et lui prit le poignet.

— Ouvre ta main, demanda-t-il.

Elle obéit. Ludo écrasa alors le fruit. La peau s'ouvrit et le jus se déversa dans sa paume comme un nectar scintillant, emplissant ses narines de son odeur acide et ensoleillée. Puis elle passa et repassa sa main devant son visage pour humer cette odeur à nulle autre pareille.

— C'est incroyable, c'est le parfum le plus frais qui existe.

— Ajoutes-y une cuillère à café de sucre et frotte tes mains ensemble, tu obtiendras la meilleure crème pour la peau qu'on puisse imaginer.

— Comment le sais-tu ?

Il plissa les yeux face au soleil tout en souriant.

— C'est ma mère qui me l'a enseigné. Je l'ai souvent vue se masser les mains avec ce mélange après avoir fait la vaisselle. Et je peux te garantir qu'elle avait les mains douces comme de la peau de bébé. Mais tu devrais essayer par toi-même.

— Je le ferai.

— Viens, allons à la fontaine, tu pourras te rincer les mains.

Une bergère de pierre déversait un jet perpétuel dans un bassin aux eaux cristallines. Natalie s'y lava les mains, avant de se rafraîchir le visage. Elle savait que le soleil n'était pas seul responsable de la fièvre qui l'habitait. Ludo Petrakis lui avait jeté un sort puissant… dont elle n'avait aucune envie de se libérer.

— Voilà, c'est mieux, soupira-t-elle d'aise.

— Et si nous allions dîner ? Allena nous a préparé quelque chose de spécial et si mon petit doigt ne m'a pas trompé, il s'agit de ma moussaka préférée, suivie de baklavas. J'espère que tu as faim.

— Oui j'ai faim et les baklavas sont aussi mon péché mignon.

Ludo lui adressa un regard pénétrant et dans le silence qui suivit, Natalie retint son souffle en se demandant ce qui lui traversait l'esprit.

— C'est rassurant de savoir que tu peux céder à la tentation, *glykia mou*, car j'y suis moi-même durement soumis en ta compagnie.

Elle se laissa prendre par la main, en songeant qu'elle pourrait facilement devenir dépendante de ce contact rassurant.

Ludo fit demi-tour et la guida sur le chemin rouge en direction de la maison.

*
* *

Ils savourèrent la délicieuse moussaka accompagnée d'une salade aux trois haricots qu'Allena leur avait préparée, puis les baklavas dégoulinants de sirop. Ils prirent leur café sur la terrasse, là où Ludo l'avait menée à leur arrivée. La nuit était presque tombée et la surface de l'océan reflétait la lumière pâle de la lune. Natalie se laissa aller au fond de son siège en osier avec un soupir d'aise. Elle était sur le point de partager avec lui son émerveillement face à l'immensité de la mer lorsqu'elle constata qu'il avait fermé les yeux. Etait-il perdu dans ses pensées ou avait-il sombré dans un léger sommeil ? Ce voyage en avion qui le ramenait en Grèce pour la première fois depuis les funérailles de son frère l'avait épuisé. Elle décida donc de le laisser en paix.

Difficile de ne pas se détendre face à un tel spectacle : la mer, la lune, Ludo… Il fallait se rendre à l'évidence, il avait dit vrai en prétendant que cela lui briserait le cœur de quitter cet endroit… et de le quitter, lui. Natalie se redressa vivement en prenant conscience qu'elle avait mis le doigt dans un engrenage infernal en acceptant de l'accompagner ici. Demain, il la présenterait à ses parents et elle devrait jouer les fiancées. Elle était certes ravie de revenir dans ce pays magnifique, mais serait-elle capable de se livrer à cette mascarade ?

Quand la main de Ludo vint se poser sur sa cuisse musclée, elle comprit qu'il ne dormait pas.

— Ludo, tout va bien ? s'enquit-elle en saisissant sa tasse de café sur la petite table.

— Bien sûr, pourquoi ?

— Je m'inquiétais juste un peu. J'ai l'impression que tu te replies peu à peu sur toi-même depuis que je t'ai appris que ma mère connaissait l'existence de ton frère. Tu n'as pas beaucoup ouvert la bouche depuis le début de ce voyage, et je ne voulais pas t'ennuyer avec ça.

Il se massa le front. Ses yeux brillaient comme ceux d'un chat confronté à un danger.

— J'ai parfois l'impression que les Grecs possèdent tous un pouvoir magique leur permettant de savoir comment se portent leurs compatriotes, où qu'ils soient sur la planète. Je n'aurais pas dû être surpris que cette tragédie soit venue aux oreilles de ta mère, et pourtant… J'ai tendance à me refermer sur moi-même dès que l'on évoque mon frère, c'est vrai, c'est une source de tristesse et de regrets intarissable pour moi. Et puis, il y a cette rencontre avec mes parents, demain… Je vais devoir leur expliquer pourquoi je me suis enfui après l'enterrement.

— Enfui ? répéta Natalie.

— Oui, j'ai fait mes valises et je suis parti juste après le service, sans vraiment leur donner d'explication. Mon chagrin était trop grand et je ne supportais pas de les voir souffrir autant, sans rien pouvoir faire pour alléger leur peine. Ils ont toujours été présents pour moi, solides tout comme l'était mon frère. C'était comme si rien ne pouvait jamais les ébranler.

Il secoua la tête en se passant les doigts dans les cheveux.

— Et plutôt que de leur offrir mon soutien dans cette épreuve atroce, j'ai choisi de fuir et d'oublier tout ça en me réfugiant dans le travail.

— Et ça n'a pas marché ?

— Bien sûr que non ! explosa-t-il en se levant de sa chaise, furieux contre lui-même, contre Natalie, contre la terre entière.

Le souffle court, il reprit.

— J'ai découvert qu'on peut bien fuir au bout du monde, on garde ses douleurs avec soi. Cette retraite n'a fait que nourrir mon sentiment d'impuissance et mes remords. J'ai compris que je n'avais pas joué mon rôle de fils, que j'avais trahi mes parents, les personnes que j'aime le plus au monde. Ils ont dédié leur vie à me prodiguer une bonne éducation, à m'élever et voilà comment je les remercie… c'est impardonnable.

Natalie se leva à son tour, aiguillonnée par la colère qui émanait de lui.

— Tu ne l'as pas fait délibérément, Ludo. Ce n'était pas planifié. Toi aussi tu souffrais, ta réaction est tout à fait compréhensible.

Il laissa tomber ses bras dans un geste d'impuissance et lorsque leurs regards se croisèrent, elle prit la mesure de sa détresse.

— La seule façon de me racheter à leurs yeux, c'est de te présenter comme ma fiancée. C'est pour cette raison que j'ai besoin que tu fasses ça pour moi. Je ne peux pas me contenter de revenir tout seul à la maison.

— Pourquoi ?

Elle fit le tour de la table pour le rejoindre.

— Pourquoi cela ne suffirait-il pas ? Tu es leur fils bien- aimé, l'enfant que tous les parents rêveraient d'avoir. Et puis on pardonne facilement à ceux qu'on aime, même s'ils ont commis un acte impardonnable.

— Vraiment ? ricana-t-il avec cynisme. Je me demande comment tu peux te montrer aussi optimiste. D'après mon expérience, il n'y a rien de plus difficile que de pardonner à quelqu'un qui t'a trahi, qui t'a blessé.

— Sauf si tu te rends compte que c'est à toi que tu fais le plus de mal en refusant d'accorder ton pardon. Lorsque mon père nous a quittées, ma mère et moi, j'ai eu si mal que je me suis sentie trahie au point de penser ne plus jamais pouvoir lui faire confiance. Comment avait-il pu nous faire une chose pareille ? Pour moi, ce n'était qu'un menteur qui méritait de ne plus jamais connaître le bonheur ! J'ai même longtemps refusé de le revoir. Et pourtant ma mère m'a toujours interdit de dire du mal de lui et m'a encouragée à lui pardonner. Je t'assure que ça n'a pas été facile, mais si je voulais un jour être de nouveau en paix avec moi-même, c'était indispensable, car toute cette rancœur me rongeait de l'intérieur. Lorsqu'il a eu son attaque cardiaque, cela m'a aidée à franchir le pas. Et je me félicite de l'avoir fait car nous avons maintenant une relation privilégiée.

Elle termina son récit passionné le cœur battant à tout rompre. Jamais elle ne s'était ainsi livrée à quiconque, pas même à sa mère.

— Je suis désolée, s'excusa-t-elle en passant une main tremblante dans ses cheveux, c'est de tes parents que nous parlions. Je voulais simplement illustrer le fait qu'à mes yeux, l'amour sincère ne meurt jamais. Je suis persuadée que tes parents t'ont déjà pardonné. Ma mère m'a dit un jour que l'amour que l'on porte à un enfant surpasse tous les autres et peut même survivre à sa propre mort.

Natalie, tremblante, le rouge aux joues, observait l'homme qui, face à elle, n'avait pas bougé, ne l'avait pas interrompue une seule fois. Il se contentait de lui offrir un regard aux profondeurs infinies, preuve de son intense réflexion. Natalie pria pour qu'il trouve un peu de réconfort dans sa propre certitude.

Ses larges épaules se soulevèrent sous sa chemise en lin, geste énigmatique qui ne laissait rien transparaître de son état d'esprit ; l'inquiétude de Natalie atteignit des sommets. Avait-elle dépassé les bornes en livrant ainsi le fond de sa pensée ?

— Je ne sais pas s'ils m'ont pardonné ou pas, mais nous serons fixés demain. Pour le moment, j'aimerais aller faire une longue marche afin de méditer sur notre conversation.

— Veux-tu que je t'accompagne ?

Sa joue bronzée se creusa en un infime sourire.

— Non, c'est un chemin que je dois emprunter seul. Si tu veux te détendre, Allena t'indiquera les loisirs disponibles dans la maison. Si tu as une demande particulière, quoi que ce soit, adresse-toi à elle et si tu veux te coucher tôt, n'hésite pas, ne m'attends pas. Nous parlerons demain au petit déjeuner. *Kalinihta*. Bonne nuit, Natalie.

Ludo déposa un baiser sur sa joue d'un air presque absent et il s'éloigna, son odeur enivrante se dissipant peu à peu dans le parfum des bougainvilliers, comme si les fleurs elles-mêmes pleuraient déjà son absence.

# 8.

Ludo aimait la nuit, et par-dessus tout il aimait l'odeur qu'elle avait ici, dans son pays. Où que l'on se trouve sur l'île, des parfums incroyables et sensuels vous parvenaient. L'olive et le pin dominaient cette symphonie odorante, puis venaient le bougainvillier et le jasmin, et des odeurs de four à pain. A l'heure des repas, on percevait de délicieuses odeurs de viande rôtie et de poisson frais, à faire saliver même les moins gourmands. Mais au-delà de la cuisine et des odeurs enivrantes qui attiraient immanquablement les touristes, c'était le spectacle qu'offrait la mer qui le captivait, et avait toujours eu le pouvoir de le remettre en harmonie avec lui-même.

Le jour où il avait appris que Théo avait sombré dans les eaux au large de Margaritari, cet amour de la mer s'était mué en haine. Comment pouvait-il continuer à aimer celle qui lui avait enlevé son frère ?

Il suivit le tracé de la plage, et s'arrêta pour lever les yeux vers la lune montante, suspendue dans le dais obscur de la nuit.

*Faites un vœu en regardant la lune montante*, leur disait sa mère lorsque Théo et lui étaient enfants, *faites un vœu et il se réalisera.*

Ludo avait fait le vœu d'être riche comme Crésus et nul doute que Théo avait formulé un souhait bien plus altruiste en direction des plus démunis. Petit garçon déjà, Théo se montrait d'un naturel particulièrement généreux et patient. Ludo aurait volontiers sacrifié toute sa fortune pour retrouver son frère.

La culpabilité revint lui percer le cœur et il se massa la poitrine malgré lui. Il reprit sa marche le long de la plage. Il croisa des touristes qui le saluèrent, à qui il rendit mollement la politesse avant de s'éloigner.

Ludo avait enlevé ses chaussures en arrivant sur la plage et, malgré son humeur sombre, il apprécia le contact du sable chauffé par le soleil de la journée entre ses orteils. Il aurait peut-être dû accepter la proposition de Natalie de l'accompagner. Pourquoi avait-il refusé ? Il ne faisait pourtant plus aucun doute à présent que sa présence l'apaisait… et l'excitait à la fois.

Il ressentit le besoin urgent d'entendre sa voix, d'écouter ces paroles réconfortantes qui semblaient lui venir si naturellement. Pourquoi ne consentirait-il pas à abaisser sa garde ? Il pourrait s'autoriser à ne plus supporter seul le poids de ses peurs et de ses inquiétudes… Et s'il les partageait avec elle, accepterait-elle ?

Natalie lui avait assuré que ses parents lui avaient d'ores et déjà pardonné d'avoir fui, et cela avait fait naître en lui un dangereux espoir. Et si elle se trompait, qu'adviendrait-il de lui ? Son prétendu succès dans le monde des affaires n'avait plus aucun sens s'il perdait leur amour et leur respect.

Natalie avait-elle suivi son conseil en se couchant tôt ? Durant le repas, elle avait à plusieurs reprises étouffé un bâillement. Elle devait rêver d'une bonne nuit de sommeil, pendant que lui allait passer une nuit blanche en ruminant sa peur du lendemain.

*Au diable tout ça !* Pourquoi sa vie était-elle si compliquée ? Au lieu de travailler comme un forçat et d'accumuler une fortune considérable, pourquoi ne s'était-il pas préoccupé de trouver l'amour de sa vie ? Son père l'avait fait, lui ! Il aurait pu se construire une maison, y fonder une famille et vivre une partie de l'année sur Margaritari, comme il en avait rêvé, à une époque.

Il se sentit soudain infiniment las de courir la planète, alors qu'il aspirait avant tout à passer du temps avec ses amis et sa famille, à retrouver des valeurs simples de bonté et de partage dans un monde qui filait à cent à l'heure. Il voulait cesser cette course folle, cette quête illusoire du bonheur à travers des joies futiles et des plaisirs éphémères.

Le monde des affaires avait perdu tout intérêt à ses yeux depuis la mort de Théo, finit-il par s'avouer. Il avait trouvé refuge dans le travail juste après la tragédie, mais ce refuge n'avait tenu qu'un temps avant de s'effondrer misérablement. Sa vie était devenue un désert émotionnel. Il ne pouvait pas continuer à se mentir ainsi et à arpenter ce chemin de solitude et de souffrance. Son pays et ses proches lui avaient manqué infiniment plus qu'il n'avait bien voulu l'admettre.

Il revit Natalie sous le citronnier, le jus coulant sur ses mains. Il y avait chez elle une étrange forme d'innocence qui l'émerveillait un peu plus chaque fois qu'il la voyait. Cette femme jouait malgré elle avec sa libido, et la simple évocation de sa silhouette gracile, de ses cheveux tombant en cascade et de ses yeux profonds faisait naître en lui un besoin irrépressible de l'attirer dans ses draps et de lui faire l'amour avec passion.

Aurait-elle le cran ou l'inconscience de venir d'elle-même le rejoindre dans sa chambre comme il le lui avait suggéré ? C'était étrange, mais avec elle — et malgré la connexion immédiate qui s'était établie entre eux —, Ludo ne recherchait pas uniquement à satisfaire son propre désir sexuel. Il voulait lui laisser le temps d'avoir envie de lui. Lorsqu'elle comprendrait cela, il ne doutait pas que l'alchimie entre eux deviendrait explosive.

En attendant, il était au supplice. Il donna un coup de pied dans un tas de sable en soupirant. Il n'était pas le seul à être sous le charme de Natalie. Durant le repas, ses manières douces et son grand sourire avaient su conquérir le cœur d'Allena et un lien s'était tissé entre les deux femmes. Etait-il possible que ce miracle se reproduise avec sa propre mère ? Ludo jura entre ses dents en se rappelant que tout cela n'était qu'une mascarade douce-amère destinée à le mettre en valeur aux yeux de ses parents. Il ramassa un caillou qui émergeait du sable et le lança rageusement dans l'océan baigné par la lune qui venait lécher le rivage.

Natalie était si épuisée qu'elle s'était endormie sur le lit tout habillée. Elle avait bien essayé d'attendre le retour de Ludo, mais tandis que le soir tombait, elle y avait renoncé et avait regagné à regret sa chambre.

Elle était restée longtemps à observer l'océan nocturne depuis la terrasse, en songeant au destin funeste du pauvre Théo entraîné au fond des flots. La tristesse l'avait alors envahie malgré elle. Dans un moment de panique, elle avait pensé à Ludo marchant seul au bord de la mer, désespéré. Elle aurait dû l'accompagner, elle aurait dû braver sa colère pour s'assurer qu'il allait bien.

Finalement incapable de lutter plus longtemps contre l'épuisement, elle était entrée dans la chambre et s'était assise pour ôter ses sandales. Avant même de s'en rendre compte, elle s'était allongée et s'était endormie.

Lorsqu'elle se réveilla, le lendemain matin, elle n'avait aucune idée de l'heure, mais le soleil brillait déjà haut dans le ciel. Elle se redressa et constata avec dépit qu'elle portait encore sa robe orangée de la veille. A sa décharge, cette première journée avait été particulièrement chargée et tendue. Entre le voyage, les querelles avec Ludo et cette marche nocturne dont il n'était pas revenu…

Elle ôta rapidement la robe et fila vers la salle de bains

en se demandant si Ludo lui tiendrait rigueur de ne pas avoir veillé pour l'attendre. Ce n'était pas digne de la fiancée qu'il allait présenter à ses parents le jour même. Pour la millième fois, l'absurdité de cette mise en scène la frappa. Il lui restait d'ailleurs beaucoup de questions à poser à Ludo au sujet de cette fameuse rencontre…

Allena, tout sourire, l'informa que Ludo l'attendait sur la terrasse pour prendre le petit déjeuner. Elle prit une brève inspiration, emprunta un passage voûté et observa Ludo assis sur une chaise en osier, les genoux repliés sur la poitrine.

Il était vêtu d'une chemise de lin blanche et d'un chino couleur rouille. Il était pieds nus. On aurait dit un danseur au repos. Le paysage en arrière-plan était majestueux et ses cheveux blonds s'agitaient doucement dans le vent. Le cœur de Natalie manqua quelques battements lorsqu'elle contempla ce magnifique tableau.

Il se tourna vers elle et la salua, la prenant totalement au dépourvu ; depuis combien de temps savait-il qu'elle était là ?

— *Kalimera*, Natalie. J'espère que tu as bien dormi ?

Lorsqu'il souriait, ses yeux étincelaient encore davantage.

— Je… j'ai dormi comme une bûche, parvint-elle enfin à articuler. En fait j'étais si fatiguée hier soir que je me suis effondrée tout habillée sur le lit. Je ne me suis réveillée qu'il y a une demi-heure environ. J'espère que je ne t'ai pas trop fait attendre.

— Je savais que tu ne tarderais pas à descendre, ne t'inquiète pas. Et même si je t'avais attendue, cela en aurait valu la peine, tu es magnifique dans cette tenue.

C'était une robe bleue très simple à manches courtes. L'encolure était en forme de cœur, brodée de motifs floraux, et le tissu dessinait un drapé harmonieux à hauteur de genoux. Sa mère avait eu le coup de foudre et la lui avait achetée spécialement pour ce voyage. Elle l'avait trouvée respectable mais modeste et assez jolie pour attirer l'attention. Le seul homme dont elle voulait attirer l'attention, c'était l'Adonis assis face à elle.

— Merci, c'est ma mère qui me l'a offerte.

— Ah ? Je comprends pourquoi tu souhaites la porter aujourd'hui. C'est le genre de robe qu'une maman grecque offrirait à sa jeune et belle fille. Une robe qu'elle puisse porter à un dîner de famille comme à une réunion entre amis. Elle a un petit côté virginal et ne peut que laisser une bonne impression, la taquina-t-il.

Il lui fit signe de le rejoindre.

— Assied-toi, il y a du yaourt et du miel au menu.

*Une robe virginale*, répéta-t-elle mentalement en s'installant en face de lui. Elle se versa des céréales dans un bol en évitant avec soin le regard de Ludo.

— Je t'ai attendu un bon moment hier soir. A quelle heure es-tu rentré ?

— Vers 1 heure ou 2 du matin. Je n'en sais rien en fait, j'ai perdu la notion du temps.

— Est-ce que ça t'a permis de faire le point, cette longue marche ?

— C'est possible…

— Tu as fait preuve d'un grand courage, je trouve, en revenant ainsi après trois années et en faisant face à l'obstacle, l'encouragea-t-elle, tes parents doivent être ravis à l'idée de te revoir.

— Tu es vraiment une optimiste née, Natalie.

— Je préfère ça au cynisme, en tout cas.

— Tu devrais mettre un peu de miel dans ton yaourt, c'est typique…

Leurs regards se croisèrent alors et elle en oublia ce qu'elle s'apprêtait à répondre.

— Tiens…

Il lui tendit une cuillère débordante de nectar doré.

Elle s'attendait à ce qu'il la verse dans son bol, mais il lui en déposa quelques gouttes sur ses lèvres. Un frisson lui parcourut le dos et elle sentit ses seins se dresser contre le tissu de sa robe devant ce geste d'une infinie sensualité. Obéissante, et avec une certaine retenue, elle lécha la cuillère sous le regard fiévreux de Ludo.

— Hmm…, murmura-t-elle en soupirant, c'est délicieux.

Ce type la rendait folle. Elle n'était pas experte dans l'art de la séduction, mais elle n'en pouvait plus d'attendre. Il lui adressa un petit sourire qui lui donna envie de déchirer sa belle chemise de lin, d'arracher cette robe bleue qu'il avait trouvée *virginale* et de le renverser sur la table pour qu'il lui fasse l'amour.

Elle se mordit la lèvre pour ne pas rire nerveusement sous cette avalanche de pensées obscènes qui lui ressemblaient si peu.

*Tu es vraiment une oie blanche dès qu'on parle de mecs, Nat'*, lui avait un jour confié l'un de ses amis. *Ça ne t'est jamais arrivé de rencontrer un type et de vouloir le dévorer sur place ?*

Non, jamais… avant Ludo Petrakis.

— Qu'y a-t-il de si drôle ? demanda-t-il en reposant la cuillère.

— Une pensée amusante m'a traversé l'esprit, rien de plus, répondit-elle, évasive.

— Tu veux m'en parler ?

— Non, répondit-elle en ramenant une mèche derrière son oreille, pas tout de suite en tout cas. Tu veux bien m'en dire plus au sujet de tes parents avant que je les rencontre ? J'aimerais aussi qu'on s'arrête sur le chemin pour acheter un petit quelque chose pour ta mère. Est-ce qu'elle aime les fleurs ?

— Bien sûr, mais elle a un très grand jardin. Tu n'es pas obligée de lui acheter un cadeau. Je lui amène ma fiancée, cela devrait la satisfaire.

— Mais ce n'est qu'un rôle, nous sommes bien d'accord ?

Les muscles de sa mâchoire se crispèrent et elle perçut son agacement.

— Je ne risque pas de l'oublier…

— Et c'est une règle de courtoisie élémentaire d'offrir quelque chose à son hôtesse lors d'une première invitation.

Si cela a de l'importance à tes yeux, mon ange, soupira-t-il, alors nous ferons une halte dans une boutique que je connais pour acheter un vase où elle pourra mettre des fleurs. Est-ce que ça t'irait ?

Natalie appréciait le geste.

— Oui, je te remercie, répondit-elle en souriant, mais j'aimerais vraiment en savoir plus à son sujet.

Le visage de Ludo se détendit aussitôt, comme si ce sujet l'emplissait de joie.

— C'est une femme très belle et une mère admirable. Elle aime mettre ses invités à l'aise. Que puis-je te dire d'autre à son sujet ?

Ses yeux bleus se firent rieurs.

— Ah si, c'est une cuisinière hors pair et une couturière très douée. Elle était styliste avant de rencontrer mon père. Pour lui, ma mère est le centre de l'univers. Il détesterait m'entendre dire ça, mais c'est vrai. C'est un homme à l'ancienne, très fier de sa virilité. Dis-moi, Natalie, ferais-tu quelque chose pour moi avant de poursuivre cette conversation ?

— De quoi s'agit-il ? s'enquit-elle en sentant son cœur s'emballer.

L'excitation ne l'avait pas quittée et, soumise ainsi au feu de ses pupilles marines, elle ignorait comment masquer son désir. Ludo appuya ses coudes sur la table et se pencha vers elle, si près qu'elle aurait pu compter chacun de ses cils.

— Pourrais-tu essayer d'être un peu moins séduisante lorsque tu souris ? Parce que ça me donne envie de dévorer ton adorable bouche, d'arracher cette jolie robe virginale offerte par ta mère et…

Natalie l'interrompit.

— Je ne crois pas… je veux dire, je crois que nous devrions…

— Nous devrions essayer, pour voir ?

Natalie déglutit péniblement et s'essuya la bouche avec une serviette.

— On devrait rester sur un sujet moins périlleux, tu ne crois pas ?

— Parler d'autre chose alors que tu me tues à chaque regard de ces yeux argentés ? Parler d'autre chose alors que ma seule envie est de te décrire dans les moindres détails ce que j'ai l'intention de te faire lorsque tu seras nue contre moi ?

— Je te fais vraiment cet effet-là ? souffla-t-elle.

— Tu n'imagines même pas, murmura-t-il en se levant brusquement. Mais tu as raison, nous devons nous préparer à aller voir mes parents.

— Combien de temps prendra le trajet ?

— A peu près une heure.

— Où habitent-ils ?

— A quatre kilomètres environ de Lindos mais c'est une zone assez rurale, et c'est tout près de la mer.

— C'est là que tu as grandi ?

Encore une fois, une ombre passa dans son regard. Il appréhendait de les revoir. Et surtout, il craignait que leur jugement soit sans appel. Si seulement elle avait un moyen d'apaiser ses craintes…

Ludo se tourna vers l'océan.

— Oui, c'est là où nous avons grandi… mon frère Théo et moi. Nous avons eu une enfance magique ici. Nous étions tellement libres… Tous les enfants devraient vivre ça. En général nous allions chaque jour à la plage, puis nous remontions bien vite à la maison pour prendre le petit déjeuner avant l'école.

— Vous preniez le petit déjeuner ? Ce n'est pas très courant en Grèce… à part la traditionnelle tasse de café.

— Ma mère estimait que c'était important pour un enfant de commencer sa journée avec quelque chose dans le ventre.

Il se tourna vers elle.

— Elle nous donnait du fromage à tartiner sur du pain *psomi* aux céréales.

— J'adore ce pain. Ma mère en fait encore parfois quand nous avons des amis à dîner.

Natalie fit le tour de la table pour le rejoindre, en prenant garde de ne pas briser le charme de cette évocation d'un passé heureux. Le bien-être de Ludo était communicatif et elle était heureuse qu'il accepte de partager ses souvenirs avec elle.

— Il faudra que tu dises ça à ma mère, elle voudra sans doute connaître la recette.

Il déposa sur sa joue un baiser rapide, comme s'il craignait de ne pouvoir se maîtriser s'il l'embrassait davantage.

— Je pense que c'est l'heure d'y aller. Tu pourras me poser toutes les questions que tu veux en route.

Elle n'eut pas le temps de répondre que, déjà, il avait disparu dans le patio.

# 9.

La grande maison blanche de style traditionnel leur apparut au sommet de la route en lacets. Elle présentait l'architecture typique de la région, mais ses proportions étaient bien plus imposantes. Bâtie au sommet d'une colline, la maison était visible à des kilomètres à la ronde.

Le chemin au bitume accidenté fit bientôt place à une allée goudronnée bordée de figuiers, menant à une terrasse de pierre blanche qui dominait majestueusement la mer Egée. Ludo connaissait ce paysage par cœur, mais sa beauté demeurait pourtant intacte à ses yeux.

L'enchantement fut pourtant de courte durée car il sentit son estomac se serrer tandis qu'il garait le véhicule. Il allait revoir ses parents pour la première fois après trois longues années d'absence. Pourraient-ils jamais lui pardonner de les avoir abandonnés à leur désespoir ? Sa mère, en particulier ? S'ils lui fermaient leur porte, alors il lui resterait à les saluer et à retourner d'où il était venu, le cœur brisé.

— Ludo ?

La voix douce de Natalie rompit le flot de ses sombres pensées. Il ne serait pas seul face à ses parents, se souvint-il. Ses réflexions de la veille lui revinrent également à la mémoire car il savait désormais qu'il pourrait partager ses peines et ses tourments avec elle. Le nœud qu'il avait à l'estomac se dénoua quelque peu.

Elle le rassura d'un sourire.

— Tout ira bien…

Il lui prit la main qu'il serra doucement pour la remercier de sa sollicitude. Comme elle était belle et innocente dans cette robe bleue si simple ! Cette robe que sa mère avait achetée pour elle. Le décolleté en forme de cœur était absolument sage et pourtant, Ludo ne l'aurait pas trouvée plus séduisante dans une robe de cocktail provocante.

— Je sais que tu as raison, si quelqu'un peut m'en convaincre, c'est bien toi, *agapiti mou*. Allez, finissons-en.

Il avait parlé sur un ton plus autoritaire qu'il ne l'aurait souhaité, mais cette situation étrange le rendait étrangement vulnérable et à fleur de peau.

Il descendit de la Range Rover et posa le pied sur le sol de marbre. Au moment où il se tournait vers l'entrée de la maison, il vit ses parents avancer vers eux.

Son cœur s'accéléra soudain.

Sa mère Eva avait gardé son élégance naturelle, dans sa longue tunique bleue portée sur un pantalon blanc. Ses cheveux d'un blond foncé étaient plus courts que jamais et elle semblait plus mince que dans son souvenir. Elle tenait le bras puissant de son père qui, contrairement à son habitude, portait un costume. Etait-ce sa manière de mettre une distance formelle et de rappeler à son fils qu'il aurait du chemin à faire avant d'obtenir son pardon ?

Ludo n'était sans doute pas le seul à vivre cet instant avec appréhension. Il croisa le regard de sa mère qui lui adressa un sourire timide, hésitant. Il aurait voulu la prendre dans ses bras pour briser ce terrible mur du silence, mais le visage fermé de son père l'en dissuada.

Eva dissipa bien vite le malaise en avançant vers son fils et en le serrant affectueusement contre elle. Ludo lui rendit son étreinte sans la moindre hésitation et sentit sa mère trembler contre lui. Les souvenirs d'enfance le submergèrent alors, pleins de cet amour inconditionnel qu'Eva avait toujours voué à ses deux fils.

Dieu qu'elle lui avait manqué !

Tout en lui serrant le bras, comme si elle avait peur qu'il disparaisse de nouveau, sa mère recula pour mieux le regarder. Puis elle lui parla en grec, lui dit combien elle s'était fait du souci pour lui. Elle lui raconta que chaque soir elle priait pour qu'il soit en bonne santé et qu'il revienne un jour à la maison, là où était sa place.

En retour, Ludo lui murmura combien il regrettait d'être parti et lui présenta ses excuses les plus sincères. Sa mère lui caressa la joue en souriant, lui confiant qu'elle savait ce qu'il ressentait ; bien plus qu'il ne pouvait l'imaginer. Il n'avait pas à s'excuser, lui dit-elle encore, car elle comprenait sa décision et ne lui en avait jamais voulu. Il n'avait donc aucune raison de s'en vouloir à lui-même. Cela avait été difficile à digérer pour elle comme pour Alekos, mais ils en étaient finalement venus à penser que l'heure de Théo était venue et qu'il était désormais dans la demeure du Seigneur, à sa juste place.

Elle déposa un tendre baiser sur la joue de son fils et lui murmura qu'il devrait se montrer patient avec son père : Alekos aurait besoin d'un peu de temps pour comprendre que c'était un cadeau du ciel de voir revenir leur unique fils.

— Sois patient, lui suggéra-t-elle avec sagesse.

Par-dessus l'épaule de sa mère, il put juger à l'expression sévère de son père combien le temps et le chagrin avaient pris leur dû. Son front était creusé de profondes rides et ses cheveux bouclés, jadis noirs, étaient striés de fils argentés. Pour autant, il n'avait rien perdu de la formidable énergie que Théo lui enviait tant.

*Si j'ai autant de force et d'énergie que lui quand j'aurai son âge et si je suis capable d'accomplir autant de choses en une journée, alors je saurai que le gène des Petrakis ne m'a pas trahi*, avait-il coutume de dire.

Ludo ravala la boule qui se forma dans sa gorge à l'évocation de se souvenir et marcha d'un pas résolu vers l'homme à qui il devait son éducation.

— Bonjour, Père, le salua-t-il, ça faisait longtemps, trop longtemps, pas vrai ?

Ludo était sincère, mais tandis qu'il parlait, il comprit que le temps avait creusé entre eux un fossé qui avait désormais des allures de canyon. Chaque mot sonnait faux. En temps normal, il aurait pris son père dans ses bras, mais il se contenta de lui tendre une main… qu'Alekos Petrakis refusa de serrer. Les espoirs de réconciliation que Ludo avait pu nourrir volèrent en éclats.

— Ainsi donc, tu daignes finalement revenir à la maison ? constata son père avec froideur. J'avais espoir qu'avec le temps tu deviennes un homme de la carrure de Théo, mais ton absence ces trois dernières années m'a prouvé que j'avais eu tort d'espérer.

Ludo accusa le coup, comme s'il venait de recevoir un direct à l'estomac.

— Je suis désolé que tu penses ça, Père, mais Théo suit sa voie et je suis la mienne, affirma Ludo d'une voix brisée par la honte, la douleur et la gêne.

Il redevint soudain le petit garçon avide de l'admiration qu'Alekos avait pour Théo. Le vieil homme n'avait-il donc pas la moindre estime pour lui ? N'avait-il donc de valeur qu'aux yeux des deux femmes qui attendaient avec anxiété que son père et lui les rejoignent ?

— *Suivait*, corrigea Alekos. Tu as dit que Théo *suit* sa voie. Ton frère n'est plus des nôtres, tu te souviens ?

Ludo se maudit intérieurement pour cette erreur, sous le regard accusateur et inflexible de son père. Incapable de soutenir plus longtemps la pression, Ludo tourna les talons et fut agréablement surpris de constater qu'Eva s'était rapprochée de Natalie, avec qui elle discutait à voix basse. Natalie lui tendit le vase qu'elle avait tenu à acheter pour elle et Eva l'accepta avec joie. Prenant en compte la remarque de sa mère, Ludo décida de se montrer patient avec son père. Il ravala donc sa douleur et sa culpabilité et se dirigea vers les deux femmes.

— Il n'a pas envie de me voir, murmura-t-il à leur adresse.

— Il a juste besoin d'un peu plus de temps, fils, répondit Eva en anglais, et toi aussi. Vous allez devoir réapprendre à vous connaître.

Elle déposa avec soin le vase sur une table en fer forgé avant de prendre les mains de son fils dans les siennes.

— Le passé est le passé, mais si tu me présentais à ta charmante fiancée, Ludo ? Elle vient de m'offrir ce magnifique vase et sa générosité me laisse sans voix.

Ludo prit la main de Natalie sans la moindre hésitation et la serra. Une décharge d'énergie se déversa en lui et il demeura quelques longues secondes perdu dans le regard de sa fiancée d'un jour.

Il aurait voulu l'avoir pour lui seul, en privé, afin de lui montrer très précisément l'effet qu'elle avait sur lui. Ludo vécut une sorte de révélation en comprenant à quel point il avait besoin d'elle, mais il se reprit bien vite afin de faire les présentations dans les formes.

— Mère, je te présente Natalie Carr. Natalie, voici… ma mère, Eva Petrakis.

— *Kalos orises*, Natalie. J'ai cru comprendre que vous étiez à moitié grecque, mais je m'adresserai à vous en anglais, car Ludo m'a expliqué que c'était la langue que vous utilisiez à la maison avec votre mère. C'est dommage que vous ne parliez pas notre langue, mais avec le temps je suis certaine que vous y viendrez. Si vous saviez comme j'ai attendu ce moment ! Je rencontre enfin ma future fille ! Et je ne suis pas surprise de constater que vous êtes magnifique. Mon fils a toujours eu un goût exquis.

Natalie se retrouva aussitôt dans les bras d'Eva, nimbée d'Arpège, ce même parfum que portait sa propre mère ; elle se sentit aussitôt chez elle.

— *Yia sas*, la salua Natalie en retour, utilisant l'un des rares mots qu'elle connaissait en grec, c'est un vrai plaisir de vous rencontrer, madame Petrakis. Lorsque Ludo parle de vous, c'est toujours avec une grande affection.

Natalie s'autorisa un coup d'œil en direction de son *fiancé*, qui était demeuré quasi muet depuis le court échange avec son père. Natalie aurait aimé être une petite souris pour entendre leur conversation, mais il était clair que rien de bon n'en était sorti.

Avec Eva, c'était tout autre chose. Elle semblait beaucoup plus accessible et compréhensive. Et même si Natalie ne serait jamais cette *fille* qu'elle attendait depuis si longtemps, elle ne ressentait étrangement aucune culpabilité face à cette mise en scène. Tout ce qu'elle voyait pour le moment, c'était que Ludo avait besoin de son aide et qu'elle était tenue par contrat de le soutenir. Il avait respecté sa parole en augmentant son offre financière, et c'était maintenant à elle de se montrer crédible dans son rôle de fiancée… Jusqu'à ce que vienne le moment de rentrer en Angleterre, une perspective qui la peinait d'avance.

— Ludo a toujours été mon bébé, affirma Eva en souriant. Elle couvrit son fils d'un regard aimant avant d'ajouter : C'était un enfant espiègle et turbulent, mais tellement joueur ! Il ne pensait qu'à s'amuser. Nos amis et nos voisins l'adoraient. Ils l'appelaient l'Ange aux cheveux d'or.

Elle vit Ludo rougir légèrement sous son hâle méditerranéen. Comme c'était mignon de le voir si gêné devant les compliments de sa mère ! Et quel soulagement de voir l'accueil qu'elle lui réservait après toutes les craintes qu'il avait pu nourrir. Après le drame qu'ils avaient tous vécu trois années plus tôt, il devait être avide de ce genre de témoignage de tendresse maternelle, tout autant qu'il aspirait à obtenir le pardon de ses parents.

— Venez avec moi, Natalie.

Eva la prit fermement par le bras et l'entraîna en direction de l'homme qui était demeuré silencieux devant sa porte.

— J'aimerais vous présenter le père de Ludo, mon époux, Alekos Petrakis.

— *Yia sas*, c'est un plaisir de vous rencontrer, M. Petrakis, lança Natalie avec une feinte assurance.

Elle eut la certitude intime que ce bonhomme à la mine sévère et au regard droit n'était pas de ceux que l'on pouvait duper aisément. Mais à sa grande surprise, il lui saisit la main avec chaleur et lui offrit un large sourire qui semblait sincère.

— *Kalos orises*, Natalie. C'est donc vous qui avez eu le courage de vous engager avec mon fils Ludovic ?

— Si ça se trouve, M. Petrakis, c'est lui le plus brave dans cette affaire. Nous nous connaissons depuis peu, mais chemin faisant, il découvrira peut-être chez moi certains traits de caractère très agaçants, qui sait ?

A sa grande surprise, Alekos bascula en arrière sa tête léonine et éclata d'un rire généreux. Ludo ne lui laissa pas le temps de répondre quoi que ce soit et enchaîna aussitôt.

— J'en doute fort, mon ange. Tu as trop de qualités pour que tes moindres défauts puissent les éclipser. Et puis tu es si belle. N'est-ce pas, Père ?

Natalie osa à peine respirer. Il était évident que Ludo tendait à ses parents un rameau d'olivier symbolique, faisant de son mieux pour dissiper les rancœurs par un peu d'humour léger. Elle pria pour qu'Alekos perçoive son intention et y réponde. Le vieil homme acquiesça et adressa un regard complice à Natalie… et à Natalie seule.

— Ta future épouse est absolument ravissante.

Eva Petrakis glissa son bras contre celui de son mari, un sourire aux lèvres. Puis elle sembla scruter la main de Natalie.

— Vous ne portez pas de bague de fiançailles ? Mon fils aurait-il omis de vous en offrir une ?

Ludo glissa sa main dans le dos de Natalie. Un geste chaud, rassurant.

— Nous attendions d'arriver en Grèce pour en choisir une, expliqua-t-il.

Ses grands yeux bleus lui envoyèrent un signal silencieux : elle devait acquiescer.

— En fait, j'ai prévu de prendre contact avec un ami joaillier de Ludo dès demain.

— Et je suppose que tu as demandé la main de sa fille au père de Natalie ? reprit Alekos. Tu sais que c'est la tradition.

Ludo attira Natalie plus près de lui. L'avait-il sentie trembler ? Leurs prétendues fiançailles venaient de se muer en un nœud de mensonges dans lequel ils s'empêtraient de plus en plus. Natalie se souvint alors — sans trop comprendre pourquoi — des histoires crétoises que sa mère lui racontait lorsqu'elle était enfant. Les parents d'un couple fiancé devaient disposer d'une période durant laquelle ils apprenaient à se connaître avant le mariage de leurs enfants. Pourquoi ne s'en souvenait-elle que maintenant, et pourquoi Ludo n'y avait-il pas pensé, bon sang !

— Tout s'est passé si vite ! La naissance de nos sentiments l'un pour l'autre, affirma Ludo en plongeant dans le regard de Natalie.

C'était incroyable, songea Natalie, c'était comme s'il pensait chaque mot. Son cœur s'emballa soudain. C'était comme si on venait de la projeter dans un rêve de petite fille.

— Nous avons à peine eu le temps de réfléchir à quoi que ce soit. Nous voulons être ensemble, c'est tout ce qui importe, expliqua Ludo. A notre retour en Angleterre, je ferai ma demande officielle à son père, dès que nous aurons réussi à faire coïncider nos agendas.

— Et vous devrez revenir ici juste après pour que nous vous organisions une fête de fiançailles. Si les parents de Natalie pouvaient être là — et je ne doute pas qu'ils feront le voyage ! —, ce serait merveilleux. Ludo, tu devras me prévenir dès que ce sera officiel afin que je m'occupe des préparatifs, lança Eva avec enthousiasme. Je sais que c'est un peu brusque, ma chérie, ajouta-t-elle à l'intention de Natalie, mais avez-vous déjà une idée de la date du mariage ?

— Nous… avions pensé faire ça plus tard dans l'année, peut-être à l'automne, intervint Ludo pour épargner à Natalie d'avoir à répondre.

Elle s'en félicita intérieurement. Heureusement qu'il ne s'était pas aventuré à donner la date d'un événement qui n'aurait jamais lieu. Dès qu'ils seraient seuls de nouveau, il faudrait qu'ils aient une petite discussion. Les choses se précipitaient et Natalie craignait que rien ne puisse arrêter cette course folle.

Elle commençait à mal vivre toute cette mise en scène, à se sentir… coupable. Et parallèlement à cela, elle sentait naître en elle un regret de ne pas être fiancée à Ludo dans la réalité, de ne pas être sa future épouse. Difficile de faire bonne figure alors qu'elle comprenait maintenant que son amour pour lui n'était plus feint.

— Alors vous allez vraiment respecter à la lettre la tradition, les félicita Alekos : vous vous unirez à la récolte des olives.

Ludo acquiesça.

— Oui, je pense que c'est un choix très judicieux, renchérit son père, cela montrera aux gens que tu es un homme de principes, Ludovic, un homme aux yeux de qui les valeurs familiales sont capitales.

Il aurait presque pu ajouter *finalement*, tant sa rancœur était palpable, songea Natalie. La mâchoire de Ludo se serra et elle sut que cela ne lui avait pas échappé non plus. Une poignée de secondes passèrent avant qu'il ne passe à l'offensive.

— Tu penses donc que j'étais un homme sans principes et sans respect pour la famille jusqu'ici, Père ?

Natalie sentit un frisson la parcourir ; ils étaient au bord d'une crise familiale de grande envergure.

— Je ne fais qu'exprimer une évidence, rétorqua Alekos avec fermeté : si tu as jamais possédé ces ceux vertus, alors il semble évident que tu les as perdues à la mort de ton frère.

Ludo poussa un juron, lâcha la main de Natalie et vint se planter face à son père.

Elle avait mal pour lui. Etre aussi durement jugé par quelqu'un de son propre sang !

— Pourquoi ? lança Ludo, les yeux écarquillés. Parce que tu en as déduit que j'étais parti sans vraie raison ? Tu ne t'es jamais demandé pourquoi j'ai eu besoin de mettre de la distance entre nous ? Tu ne t'es pas dit que moi aussi j'avais mal ? Quand Théo est mort, j'aurais tout donné pour prendre sa place. Aux yeux de tous, c'était lui, le type bien de la famille, le fils parfait ! Et il l'était ! C'était quelqu'un d'admirable et son travail a profité à des centaines, peut-être même des milliers de familles, alors que moi…

Il baissa les yeux vers le sol, secouant la tête d'impuissance et de rage.

— J'ai utilisé toutes mes compétences pour faire de l'argent. Beaucoup d'argent. Je sais que ce mot est sale à tes yeux, Père. Je ne suis pas digne de toi, même si ma fortune me permet de créer des emplois. Et tu sais quoi ? C'est pourtant auprès de toi que j'ai tout appris. *Il faut suer sang et eau pour faire sa place dans ce monde*, c'est toi qui m'as enseigné ça. *Travaille dur et tu tiendras le monde dans le creux de ta main*, c'était ta devise lorsque nous étions enfants. Mais quand Théo est devenu médecin, tu as soudainement décidé de ce qui était acceptable et de ce qui ne l'était pas. Tu as fait ça parce que tu aimais l'image que Théo renvoyait de toi auprès de tes amis et de tes relations.

Le souffle court, Ludo se passa une main dans les cheveux.

— Mais voilà, je suis comme je suis, et je me moque

de ce que tu peux penser de moi, désormais. Sache simplement que Théo est le meilleur ami que j'aie jamais eu, qu'il était mon allié. Je me souviendrais de lui pour toujours, pas juste parce que c'était mon frère, mais pour tout l'amour et le soutien qu'il m'a témoignés. C'était lui la voix de la sagesse, c'était lui qui me disait de ne pas lutter contre l'opinion que tu avais de moi et de simplement être moi-même. *Suis ton cœur*, disait-il, *suis-le où qu'il te mène, tu n'as besoin de l'approbation de personne, pas même de celle de notre père.* Si je suis revenu ici, c'est pour maman. Je suis désolé d'avoir encore ajouté à sa souffrance après la mort de Théo, et si je peux faire quoi que ce soit pour me rattraper, vous avez ma promesse solennelle que je le ferai.

— Je n'ai jamais voulu que tu compenses quoi que ce soit, Ludo, affirma Eva en le serrant contre elle, et tu as déjà gagné mon estime en revenant ici et en amenant ta future femme.

Puis elle s'approcha de Natalie et lui effleura la joue d'un geste maternel, ses grands yeux bleus humides de larmes.

— Mon cher fils me revient enfin, et il m'amène la fille que j'ai appelée de mes prières. Il me reste à espérer que vous me donniez un petit-fils et mon bonheur sera complet.

Natalie se figea. Soudain, le chant des oiseaux et le fracas des vagues parurent laisser la place à un silence qui emplit tout l'espace. Elle se sentait en état de choc après le long monologue de Ludo, mais Eva venait de lui porter le coup de grâce. Elle doutait même être capable d'articuler la moindre phrase cohérente après cette avalanche d'émotions. Une seule certitude subsistait dans son esprit : cette femme ne méritait pas de souffrir davantage… pas plus que son fils, d'ailleurs.

— Nous sommes déjà restés trop longtemps au soleil, décida Eva, nous devrions tous rentrer et prendre un rafraîchissement. J'espère que vous restez déjeuner ? Mais oui, bien sûr ! Nous avons tant de choses à célébrer. Ah, quelle journée !

Puis elle se tourna vers son mari qui semblait statufié sur place.

— Viens avec moi, Alekos, je crois que nous allons devoir parler, tous les deux, avant de rejoindre les enfants.

Ils se dirigèrent tous vers le patio menant à l'intérieur de la maison. Ludo prit la main de Natalie avec fermeté, comme si elle était son fil d'Ariane dans ce labyrinthe familial, tout en évitant soigneusement de croiser le regard de son père.

# 10.

Ludo était resté étonnamment silencieux pendant tout le trajet du retour vers la villa, et Natalie savait pourquoi. Eva avait fait son possible pour apaiser l'atmosphère entre les deux hommes durant un délicieux déjeuner, mais ils s'étaient entêtés à camper sur leurs positions. Ludo en voulait à son père de ne pas s'être montré plus compréhensif lorsqu'il avait ressenti le besoin de fuir après l'enterrement de son frère. De l'opinion de Natalie, Alekos était bloqué sur une vision idéalisée de son fils dont il refusait de se défaire.

La conversation s'était donc surtout déroulée entre Eva et Natalie, jusqu'au moment où l'heure fut venue pour les deux couples de se séparer. Le père et le fils avaient à peine consenti à échanger un regard.

La situation n'aurait pas pu être plus triste. Après que Ludo eut vidé son sac face à son père, on aurait pu s'attendre à ce qu'un échange ait lieu, que chacun fasse un geste en direction de l'autre, afin de faire preuve de bonne volonté et de regarder vers l'avenir.

Natalie était pleine de compassion pour ce que vivait son fiancé éphémère, mais elle ne pouvait ignorer plus longtemps ses propres besoins. Il était urgent qu'elle lui fasse comprendre qu'elle n'était pas prête à obéir à chacune de ses lubies sous prétexte qu'il avait donné davantage d'argent à son père. Il s'était défendu d'être un maître chanteur, mais il traînait derrière lui une réputation de négociateur inflexible et elle ne voulait pas être le dindon de la farce.

N'y tenant plus, Natalie prit finalement la parole tandis qu'ils roulaient vers la villa.

— Je sais combien revoir tes parents a été pénible pour toi, commença-t-elle en se tordant les mains, mais l'épreuve n'a pas été facile pour moi non plus. Je comprends mieux maintenant pourquoi tu as passé ce marché avec moi et pourquoi tu m'as amenée ici. C'est certainement plus facile d'affronter ton père avec quelqu'un dans ton camp. J'ai joué un rôle apaisant. Mais ce qui me pose problème, c'est que tu ne me voies que comme un énième contrat. Je refuse de n'être qu'un instrument et que tu ne tiennes pas compte de mes sentiments !

Elle vit les épaules de Ludo se raidir et ses mains se crisper sur le volant. Il tourna les yeux dans sa direction.

— C'est l'impression que je te donne ? Tu crois vraiment n'être qu'un outil de négociation à mes yeux, une marchandise dont je compte tirer profit au maximum sans la moindre considération pour toi ?

Il semblait si choqué par son accusation qu'elle en vint à douter de son propre jugement. Avait-elle pu se tromper à se point ?

— Alors… je compte sincèrement pour toi ? murmura-t-elle, le regard embué de larmes. Je veux dire… tu te soucies de ce que je peux ressentir ?

— Si tu me poses la question, c'est que tu es convaincue que la réponse est non. Je pense que nous devrions attendre d'être à la maison pour terminer cette conversation…

Ludo se concentra donc sur la conduite, tandis que Natalie observait le paysage d'un air absent. Ils arrivèrent à la villa au crépuscule.

Sans un mot, il lui tint la porte d'entrée. Ils pénétrèrent dans le salon dallé de marbre et elle s'apprêtait à lui parler quand il passa devant elle et gravit l'escalier.

— Ludo, où vas-tu ?

Après ce qui s'était passé dans la voiture, elle fut saisie d'effroi à l'idée qu'il puisse lui demander de rentrer chez elle et de s'entendre dire qu'il n'avait plus besoin d'elle. Elle se résolut aussitôt à ne pas le laisser faire et monta à sa suite… Elle le vit alors déboutonner sa chemise et se mettre torse nu. Mais qu'est-ce qu'il fabriquait, bon sang ? A l'inquiétude se mêla bien vite l'excitation à la vue de la musculature puissante de ses épaules nues.

Prise de court, elle ne fut pas assez rapide pour le rattraper ; elle eut juste le temps de le voir entrer dans sa chambre sans un regard en arrière. Prenant son courage à deux mains, elle toqua à la porte entrouverte ; elle n'osait pas entrer sans s'annoncer.

— Ludo ? Je me doute que tu n'es pas d'humeur à discuter, mais je me fais du souci pour toi. Je ne veux pas que notre conversation de tout à l'heure vienne semer la pagaille entre nous. J'aimerais que l'on continue à communiquer. Je peux entrer ?

— Bien sûr, à moins que tu ne préfères parler à une porte.

Elle essuya ses mains moites sur la robe bleue qu'il aimait tant et ouvrit la porte en grand pour pénétrer dans la pièce. Debout devant le vaste lit à baldaquin, Ludo semblait détailler chacun de ses mouvements à mesure qu'elle approchait.

— Pourquoi as-tu enlevé ta chemise ?

— Pour me débarrasser du nuage de désapprobation que mon père a fait flotter autour de moi. Je n'ai pas envie d'être souillé de façon durable.

Il fit glisser d'un geste le couvre-lit au sol, tout en lui adressant un sourire provocateur. Torse nu, il était magnifique. Il portait son chino taille basse, si bien qu'elle discerna la ligne de poils qui partait de son nombril pour descendre… plus bas. Elle s'obligea à ne pas se laisser envoûter par sa beauté virile, elle devait garder les idées claires pour exprimer sa pensée.

— Alors cela ne t'a pas mis en colère lorsque je t'ai demandé si je n'étais qu'un contrat de plus dans ta pile de dossiers ?

— Non, mais ça m'a contrarié d'entendre ça juste après ce déjeuner désastreux. Mon père me fixait depuis l'autre bout de la table comme si j'étais l'ennemi public numéro un. Tu comprendras que je sois un peu à fleur de peau et que j'aie surtout envie de passer à autre chose.

— Mais ça ne donnera rien de bon de tout refouler comme ça, tu ne te débarrasseras pas de tes problèmes comme on change de chemise, Ludo. Ces questions reviendront te hanter sans cesse si tu ne les règles pas une fois pour toutes. Je sais écouter, si tu as envie de parler à quelqu'un.

— Tu es prête à m'écouter parler de mes problèmes alors même que tu doutes de ma sincérité envers toi ?

Natalie regretta aussitôt de s'être laissée emporter lors de leur conversation précédente.

— J'ai dû encaisser pas mal de choses, tu sais. D'abord, j'apprends que tu vas m'acheter une bague demain, ensuite que le mariage est prévu pour l'automne... alors que tout cela n'est qu'une mascarade. Maintenant que je connais tes parents et que je sais à quel point ils comptent à tes yeux, je suis persuadée que tes mensonges partent d'une bonne intention. Je suis donc disposée à t'écouter si tu as besoin de parler, et à t'aider si cela est dans mes cordes.

— Tu as raison, nous ne nous marierons pas à l'automne, mais j'ai effectivement l'intention de t'offrir une bague de fiançailles. Notre relation ne sera pas crédible si je ne le fais pas. Je peux compter sur toi pour accepter, même si tu n'approuves pas, n'est-ce pas ?

Elle acquiesça, même si le manque de confiance de Ludo l'atterrait.

— Oui, je le ferai, mais pour le moment j'aimerais que tu te livres un peu plus et que tu me dises ce que tu ressens vraiment.

— Tu es convaincue que je me sentirais mieux si je vide mon sac, n'est-ce pas ? Tu ne crois pas que j'ai eu ma dose de confessions aujourd'hui ? Et tu as vu de quelle façon mon père a accueilli ma sincérité… J'aurais dû me taire, je n'ai fait qu'aggraver la situation.

— Il doit probablement ressentir la même chose que toi à l'heure qu'il est. Il regrette sans doute son entêtement et je suis persuadée que s'il pouvait remonter le temps, il agirait différemment. Tu es son fils, Ludo, je suis certaine qu'il t'aime de tout son cœur.

Il ne semblait pas convaincu.

— Je n'ai plus envie de parler de ça, j'ai besoin d'un verre. Quelque chose de fort, annonça-t-il en se frottant le menton.

— Et tu crois que t'enivrer va tout résoudre ?

— Non, ça ne résoudra rien, mais cela m'aidera à me détendre après cette réunion de famille calamiteuse.

Ses yeux se posèrent sur Natalie avec une intensité accrue, et toute trace de colère quitta son regard d'azur. La rage avait fait place au… désir ?

— A moins que tu ne proposes un meilleur moyen de relâcher toute cette tension, Natalie…

C'était comme si son cœur venait de se loger entre ses deux oreilles et cognait contre son crâne. Tous ses sens en alerte, elle perçut tout à la fois le chant des oiseaux, le fracas de l'océan et le tissu de sa robe contre sa peau.

Elle souleva sa longue chevelure pour se rafraîchir la nuque puis murmura :

— Non, mais ça ne veut pas dire que tu doives te mettre à boire. Mon père avait recours à l'alcool lorsque le désespoir le submergeait et crois-moi, ça ne faisait qu'aggraver les choses. C'est vraiment ce que tu veux, Ludo ? Te sentir encore plus mal ? Je crois que nous ferions mieux de parler afin d'éviter que tes émotions ne prennent le dessus…

— Ton père a de la chance d'avoir une fille telle que

toi, si jeune et pourtant si pleine de sagesse et capable de tolérance.

Natalie piqua un fard malgré elle, sans parvenir à déterminer s'il était sincère ou si sa remarque était ironique.

— Quand on aime quelqu'un, c'est normal de vouloir tout faire pour l'aider, non ?

— Je suis d'accord, mais parfois on a soi-même besoin que les autres nous aident. Est-ce que cela fait de nous de mauvaises personnes ?

— Bien sûr que non.

Natalie ramena une mèche derrière son oreille d'une main tremblante. Manifestement, il avait mal interprété son propos et avait pris sa remarque pour une critique sur la façon dont il avait tourné le dos à ses parents après la mort de Théo ; elle était mortifiée.

— Ludo, ne va pas croire que je sois insensible, je parlais de ma propre expérience, de ce qui m'a motivée pour épauler mon père, c'est tout.

— Tu ne pourrais pas te montrer insensible, même si tu le voulais. Viens par ici...

— Pourquoi ?

— Parce que je veux te parler, répondit-il avec un haussement d'épaules, et je veux aussi te présenter mes excuses. Je me soucie de ce que tu ressens, ne pense surtout pas le contraire.

Il lui fit signe de s'approcher en lui offrant un sourire irrésistible et Natalie n'eut d'autre choix que d'obéir. Ses jambes tremblaient tellement qu'elle douta un instant de parvenir jusqu'à lui.

Lorsqu'ils furent face à face, Ludo souleva la masse soyeuse de ses cheveux pour venir prendre sa nuque au creux de sa main. Ce contact intime l'électrisa au point de sentir ses mamelons se raidir douloureusement de désir. Jamais durant les vingt-quatre années de son existence elle n'avait ressenti un tel appel primaire, un tel appétit pour un homme.

— Tu te souviens, je t'ai dit que je ne te proposerai pas de coucher avec moi à moins que tu ne franchisses le seuil de ma chambre de ton propre chef, lui rappela-t-il avec fièvre.

— C'est pour ça que tu as dit que tu voulais me parler ? demanda-t-elle, hypnotisée par sa bouche sensuelle, enivrée par son odeur et par la chaleur qui émanait de son corps à demi nu.

— Tu n'imagines pas depuis combien de temps je rêve qu'une femme telle que toi entre dans ma vie, souffla-t-il.

— Je ne comprends pas. Tu rêvais de rencontrer une fille ordinaire qui n'évolue pas dans les mêmes cercles que toi ?

— Tu es tout sauf ordinaire, *glykia mou*, et je me moque que nos mondes soient différents. Je te dis que j'ai envie de toi, c'est tout.

— Pourquoi ?

Quelle idée de poser ce genre de question alors qu'il venait de lui saisir les fesses à pleines mains ! Elle rougit tout en percevant la chaleur et la raideur de son érection derrière le tissu de son chino. Ludo ne fit rien pour masquer son émoi ou pour ménager la pudeur de Natalie.

— Assez de discours. Tu savais ce qui se passerait à l'instant même où tu as franchi cette porte…

Natalie étouffa un petit hoquet lorsqu'il fit glisser la fermeture à glissière de sa robe avant de dénuder ses épaules. Elle s'attendait à ce qu'il l'embrasse, mais il introduisit son doigt sous la dentelle du soutien-gorge qu'elle s'était acheté pour ce voyage.

*Pourquoi avait-elle jeté son dévolu sur un sous-vêtement aussi peu pratique ? Elle ne portait jamais ce genre de choses, d'habitude.*

Ludo fit glisser le tissu fragile pour révéler sa poitrine. Puis il prit son sein au creux de sa main avec un air de défi, avant de happer dans sa bouche le téton dressé. Il le caressa de sa langue chaude, le mordilla, faisant naître une onde de chaleur au plus intime de son ventre. Le mélange de plaisir et de douleur était si intense qu'elle lui saisit la tête en gémissant.

Quelques secondes plus tard, il expédiait sa robe au sol avec un sourire de prédateur. Elle se débarrassa de ses chaussures en tremblant tandis qu'il lui maintenait fermement la taille. Puis il lui ôta son soutien-gorge.

— Si tu savais comme tu es belle… Une véritable déesse, estima-t-il en savourant le spectacle de son corps presque nu, c'est un supplice de te regarder.

Ludo était parfaitement sincère en disant cela. Elle avait une silhouette harmonieuse, une taille fine et des hanches à se damner. Ses cheveux dorés tombant en cascade sur ses seins achevaient de faire d'elle une représentation parfaite d'Athéna ou d'Andromède. Sa vaine tentative de faire la paix avec son père un peu plus tôt avait été un fiasco, mais ce qui se passait maintenant avec Natalie effaçait toutes ses peines. Il réalisait un fantasme récurrent depuis qu'il l'avait vue pour la première fois dans ce train en direction de Londres.

Elle écarquilla légèrement ses grands yeux gris lorsqu'il passa une main sous sa cuisse et l'autre dans son dos. Sa peau était d'une douceur incomparable. Quel bonheur de la tenir ainsi contre lui, presque nue ! Ses cheveux de soie lui balayèrent l'avant-bras tandis qu'il s'enivrait de son parfum comme l'on s'abandonne au sirocco. Natalie était un fantasme fait femme, mais cela ne tenait pas uniquement à son physique. Jamais une femme n'avait eu un tel effet sur lui. Etait-ce son innocence qu'il trouvait si rafraîchissante après le défilé de croqueuses de diamants, mannequins et cadres de haut vol avec qui il lui arrivait de sortir ? Il avait tout de suite su que ses parents l'apprécieraient. Du reste, comment ne pas l'aimer ? Elle était celle qu'ils avaient toujours espéré lui voir rencontrer. Et derrière son désir pour elle, derrière les espoirs inavoués qu'il nourrissait secrètement, se cachait une jalousie féroce envers les hommes qu'elle avait connus avant lui. Avaient-ils pris la mesure de la merveille qu'ils tenaient entre leurs bras ?

Ludo se força à oublier sa jalousie et coucha Natalie sur le vaste lit soyeux. Il se tint un instant debout devant elle, et tandis qu'il se délectait du spectacle, elle ne chercha plus à dissimuler son propre appétit. Son érection n'en fut que plus forte encore…

Natalie ne respirait plus que par à-coups tandis qu'elle contemplait ses biceps roulant sous sa peau bronzée. Son désir pour lui avait été croissant tout au long de la journée et elle se surprit à attendre avec impatience qu'il la rejoigne, pour jouir de ce corps puissant contre le sien. Ludo était l'incarnation même de la tentation et elle s'émerveilla encore une fois de la perfection de sa silhouette. Elle plongea dans l'océan de ses yeux et avec un sourire ravageur, il s'allongea à son côté. Plus besoin de parler, désormais. Il se jucha sur elle d'un mouvement fluide et enfourcha ses hanches. Quand il se redressa et s'assit sur ses talons pour déboutonner son pantalon, Natalie perdit alors toute capacité de réflexion.

Elle avait envie de lui, c'était tout ce qu'elle savait. Lorsqu'il fit glisser le pantalon et le caleçon de soie sur ses jambes, elle ferma les yeux. Serait-elle capable de donner du plaisir à un homme possédant son expérience ? Comment le pourrait-elle alors qu'elle n'avait jamais vraiment fait l'amour ? Serait-il en colère contre elle lorsqu'il le découvrirait ? Natalie avait conscience d'être une sorte d'exception en étant demeurée vierge jusqu'à vingt-quatre ans.

Son inquiétude s'évapora à l'instant où leurs lèvres s'unirent. Ses baisers experts étaient bons à se damner ! Elle répondit avec toute la fougue de son inexpérience, mais Ludo ne sembla pas lui en tenir rigueur. Elle jeta ses bras autour de son cou puissant et s'abandonna dans cette étreinte brûlante, sans même se raidir lorsqu'il fit glisser sa petite culotte au bas de ses cuisses. Son esprit tout entier n'était plus occupé que par l'excitation qu'elle ressentait. Lorsque Ludo lui offrit un nouveau baiser, Natalie noua naturellement ses jambes autour de ses hanches.

— Laisse-moi t'aimer, murmura-t-il dans le creux de son oreille.

Natalie s'ancra solidement à ses puissantes épaules.

— Rien ne me ferait plus plaisir, affirma-t-elle avec un sourire canaille.

Sans qu'elle ne l'ait vu faire, Ludo avait mis la main sur un préservatif. Il enfila la protection d'un geste fluide sous le regard de Natalie, puis elle se laissa aller en soupirant contre l'oreiller pour se préparer à l'accueillir.

Elle se mordit la lèvre lorsqu'il entra en elle la première fois, et une légère douleur éclipsa un peu son plaisir. Surpris, Ludo se figea, mais elle l'encouragea à continuer en lui saisissant la taille et en l'embrassant avec fougue. Ils auraient tout le temps du monde pour aborder le sujet sensible de sa virginité… plus tard. Pour le moment, tout ce qu'elle désirait, c'était que l'homme qui lui avait volé son cœur lui fasse l'amour. Un homme qui affichait tous les signes extérieurs de réussite. Il était riche et beau comme une star de cinéma. Mais il lui manquait ce que tout être humain cherchait sans toujours le trouver : l'amour et le soutien inconditionnel de ses proches, de sa famille, de ses amis, de ses collègues et… de son âme sœur. Pour sa part, Natalie savait désormais qu'elle ne pourrait plus rien refuser à celui qui venait d'accepter le cadeau de sa virginité.

Ludo entra en elle de plus en plus profondément, en enfonçant ses doigts dans sa peau. Peu à peu ils trouvèrent leur tempo et ondulèrent à l'unisson, jusqu'à ce que le souffle de Ludo se fasse haché, signe qu'il allait bientôt atteindre l'orgasme.

Natalie atteignait peu à peu le paroxysme de la fièvre qui l'avait saisie à l'instant où elle avait pénétré dans la chambre de Ludo. Elle se sentait comme une frêle barque ballottée furieusement par les flots, vers une terre inconnue…

Ludo la tint longtemps contre lui, l'esprit occupé par des questions en pagaille.

— Pourquoi ne m'as-tu pas dit que c'était ta première fois ? demanda-t-il en jouant avec une longue mèche dorée.

Natalie leva les yeux vers lui.

— Est-ce que tu m'aurais fait l'amour si je te l'avais dit ?

— Tu es si belle que j'aurais eu bien du mal à résister. Mais j'aurais essayé d'être plus doux, plus… attentionné.

— J'ai aimé cette passion, Ludo. J'ai peu d'expérience, mais j'ai des désirs, comme toi.

Ludo fut aussitôt conquis par sa franchise. Il n'avait jamais rencontré de femme si honnête, si entière.

— Pourquoi as-tu attendu si longtemps avant de t'offrir à quelqu'un ?

Elle piqua un adorable fard et Ludo ne put s'empêcher de l'embrasser sur le front.

— Ma mère m'a toujours dit d'attendre le bon moment… la bonne personne pour lui offrir ma virginité. Le bon moment est venu aujourd'hui, avec un homme digne de ce cadeau.

— Regarde ce que tu as fait, mon ange !

— Qu'est-ce que j'ai fait ?

— Tu m'as donné encore plus envie de toi.

Sans la moindre pudeur, il exhiba son sexe qui disparut aussitôt en elle. C'était comme si la nature les avait modelés l'un pour l'autre.

— Mais cette fois, précisa-t-il, j'irai plus lentement, je vais prendre mon temps et savourer chaque instant afin que tu éprouves encore plus de plaisir.

— Tu veux me donner une leçon d'amour, c'est ça ?

demanda-t-elle en arborant sa poitrine nue où cascadaient ses cheveux brillants.

Ludo eut un rire satisfait, puis l'empêcha de prononcer un mot de plus en lui donnant un long baiser passionné.

# 11.

L'après-midi chez ses parents ne s'était pas déroulé aussi bien que prévu, en revanche, il avait vécu la meilleure soirée de sa vie.

Natalie l'avait envoûté.

Il avait découvert que son innocence était sincère, mais sans se douter qu'elle avait des ramifications aussi… intimes. Et dire qu'elle lui avait offert cette innocence ! Malgré l'altercation avec son père, Ludo était sur un petit nuage et d'humeur à emmener son amante dîner en ville.

Il se moquait désormais que les gens du pays le voient et soient ainsi informés de son retour au pays. Ils pouvaient bien penser de lui ce qu'ils voulaient, il s'en moquait. C'était une sensation étrange, mais Ludo avait l'impression qu'avec Natalie à ses côtés, plus rien ne pouvait l'atteindre, pas même le désamour de son père.

Son restaurant favori dominait la baie inondée de la clarté lunaire. Il était bondé, ce soir-là, à la fois de touristes et de clients locaux. Dès qu'ils franchirent la porte, les regards convergèrent vers eux. Ludo décida que c'était la beauté de sa cavalière qui provoquait cette attention soudaine. Elle était magnifique dans sa robe couleur menthe, les épaules couvertes d'une étole beige. Il ressentit une grande fierté à l'avoir à son bras.

— *Kopiaste*, bienvenue, les salua le serveur. Suivez-moi, je vous prie.

Ludo avait toujours une table ici, qu'il ait réservé ou

non. Le restaurant était complet, mais on lui assura qu'on leur trouverait une place, à lui et à sa ravissante fiancée. Sa main glissée dans celle de Natalie, il attendit en souriant que l'on ajoute une table à leur intention dans la partie la plus agréable de l'établissement. Ludo connaissait la famille du chef depuis des lustres, et c'est ce dernier qui s'occupa du service en personne. Il fit signe à une jeune serveuse de leur apporter une assiette de *mézés* en guise d'amuse-bouche et leur offrit un verre d'ouzo pour fêter son retour en Grèce.

Le personnel se comportait de façon très professionnelle, mais il surprit malgré tout quelques regards curieux. Trois ans auparavant, la presse locale s'était fait l'écho de son départ incompréhensible et précipité à l'issue du service funèbre de son frère : les spéculations étaient allées bon train et on avait dressé de lui un portrait peu flatteur.

— Tout le monde a l'air heureux de te revoir, commenta Natalie avec émerveillement.

— Bien sûr, l'argent rend les gens très amicaux, lâcha Ludo avec cynisme.

— S'il te plaît, épargne-moi ça, pas ce soir. Je suis heureuse d'être là avec toi, ne gâche pas tout.

Ludo lui prit la main en regrettant d'avoir voilé sa belle humeur.

— Je crains que mon cynisme ne soit devenu un mécanisme de défense automatique. Mais je suis disposé à changer, ajouta-t-il en souriant.

— Je sais que tu en es capable, confirma-t-elle en lui embrassant les doigts.

— Tu es une femme dangereuse, Natalie Carr, dit-il à voix basse, d'un simple baiser accompagné d'un regard tu fais de moi ce que tu veux ! J'ai hâte que nous rentrions à la maison pour t'enseigner de nouvelles leçons d'alcôve.

Ses joues rosirent, ainsi que Ludo l'avait souhaité.

— Je sais qu'il me reste beaucoup à apprendre et ta

proposition est alléchante, mais j'aimerais manger quelque chose avant. Qu'est-ce que tu me conseilles ?

Ludo ne prit même pas la peine de jeter un œil au menu qu'il connaissait par cœur. Il était souvent venu dîner ici par le passé en compagnie de son frère, mais il refoula aussitôt ses souvenirs pour ne penser qu'à Natalie.

— Laisse-moi faire.

Il adressa un signe entendu au chef qui était resté à proximité, prêt à prendre sa commande.

Cette nuit-là, Natalie s'endormit dans les bras de Ludo, bercée par les fragrances de jasmin qui leur parvenaient du jardin par la fenêtre ouverte de la chambre. Elle avait le sentiment d'évoluer dans un rêve depuis quelques jours ; si sa vie tout entière avait pu ressembler à ça !

Elle se réveilla tôt le lendemain matin, la tête posée sur la poitrine de Ludo. Elle ne put s'empêcher de savourer son odeur pendant de longues minutes, tout en observant son beau visage, infiniment vulnérable et paisible dans le sommeil. Natalie était convaincue que son amour pour Ludo n'altérait pas sa perception. Il n'y avait aucune duplicité chez lui, c'était un homme bien. Comment Alekos pouvait-il ne pas le voir ?

L'esprit léger, elle déposa un baiser sur son menton et quitta à regret la tiédeur de leur lit. Elle le laissa dormir et enfila un jean et une chemise de coton avant de se mettre en quête d'un café et de ce délicieux pain grec. Leurs ébats lui avaient ouvert l'appétit : elle était affamée.

Elle dégustait son second café servi par Allena lorsque Ludo apparut dans le patio, manifestement à sa recherche. Il portait lui aussi un jean et un T-shirt bleu glacier qui rehaussait encore l'éclat de ses yeux. Il n'avait pas pris le temps de se raser et ses joues étaient ombrées d'une légère barbe. Bien sûr, cela lui allait à la perfection, lui donnant un air rebelle et dangereux tout à fait irrésistible. Elle sentit la pointe de ses seins réagir à sa présence animale, tout en se remémorant leur nuit d'amour.

— Bonjour, le salua-t-elle en souriant, ses mains en coupe autour de la tasse de café brûlant.

— *Kalimera.*

Il fit le tour de la table, lui prit son café des mains qu'il posa avant de la faire se lever.

— Je me suis inquiété de ne pas te voir à mon réveil, soupira-t-il en la prenant contre lui.

— Il ne fallait pas t'inquiéter, je suis juste descendue prendre un café et une tartine. J'ai un appétit d'ogre, le matin.

— Vraiment ? Alors pourquoi t'être levée ? J'aurais pu satisfaire tes appétits si tu étais restée au lit.

Natalie eut la sensation vertigineuse de se tenir au bord d'un précipice.

— Tu es un très vilain garçon, murmura-t-elle en enfonçant ses ongles dans ses flancs.

— Si je suis si vilain, la défia-t-il, c'est que tu es une infâme tentatrice, mademoiselle Carr. Promets-moi de ne jamais cesser de me tenter.

Il l'embrassa avec passion en lui penchant légèrement la tête afin d'approfondir encore son baiser. Etourdie de désir, Natalie sentit son sang bouillonner, et lorsqu'il glissa sa main sous sa chemise pour saisir son sein, elle regretta de ne pas être restée au lit là-haut avec lui plutôt que d'être descendue se chercher un café.

— Excusez-moi, M. Petrakis, votre père est ici, annonça Allena d'une voix à la fois respectueuse et teintée de nervosité.

Ils pivotèrent tous deux sous l'effet de la surprise et Ludo devint soudain très pâle. S'excusant d'un regard, il rejoignit sa gouvernante.

— Où est-il ?

Allena l'informa qu'elle avait fait patienter Alekos

dans le salon et qu'elle était venue en cuisine pour lui servir un café.

— Dites-lui que je serai à lui dans une minute.

Lorsque Allena eut pris congé, Natalie rejoignit Ludo et prit sa main dans la sienne. Il tressaillit, comme au sortir d'un mauvais rêve. Elle devinait que ce coup de théâtre le prenait au dépourvu.

— Tu vas bien ?

— Pas vraiment.

Il lui lâcha la main pour se recoiffer nerveusement.

— Je ne sais pas ce qu'il me veut, mais ça ne me dit rien qui vaille.

— Tu n'en sais rien. Tu devrais aller le voir, parler avec lui. Tu serais fixé…

— Je te l'ai dit, ça ne m'inspire pas. C'est toujours comme ça, avec lui. Finis ton café, je serai vite de retour, lança-t-il en s'éloignant déjà.

Elle le regarda s'éloigner comme s'il marchait vers l'échafaud. Elle pria pour qu'Alekos, par ses propos, ne lézarde pas encore davantage le peu d'estime qui restait à Ludo depuis les événements tragiques qui s'étaient déroulés trois ans auparavant.

Alekos se tenait de dos lorsque Ludo entra dans le salon. Il jouait nerveusement avec un chapelet de billes de marbre orange, un *komboloi* traditionnel que son propre père lui avait offert lorsqu'il était enfant. Ludo fut stupéfait de voir cet objet resurgir ; cela faisait des années qu'il ne l'avait vu entre les mains de son père… Trois ans, pour être précis…

Il prit une brève inspiration pour se donner du courage et s'annonça.

— Bonjour, Père, tu voulais me voir ?

Le vieil homme rangea hâtivement le *komboloi* au fond

de la poche de sa veste immaculée avant de lui faire face. Une nouvelle fois, Ludo remarqua les rides profondes qui marquaient son visage.

— Ludovic, tu n'es pas sur le départ, dis-moi ?

— Pas dans l'immédiat, non.

En réalité, il avait prévu un certain nombre de choses avec Natalie dans la matinée, mais il pouvait s'autoriser un petit délai.

— Parfait, tu permets que je m'assoie ? Je crois que ta sympathique gouvernante va apporter du café.

Ils traversèrent le salon pour prendre place sur les deux grands canapés, de part et d'autre de la table sculptée en acajou. Allena apparut alors à point nommé avec un plateau garni de tasses et une assiette de baklavas.

Ludo la remercia. Il tendit une tasse et une soucoupe à son père, puis le servit. C'était un geste anodin qui dans ce contexte revêtait pourtant une symbolique toute particulière.

Alekos ajouta une généreuse cuiller de sucre à son café.

— Où se trouve ta charmante fiancée, ce matin ?

— Elle m'attend dans le patio.

— J'aurais aimé qu'elle soit des nôtres, mais je crois préférable qu'elle reste à l'écart le temps que nous ayons une petite discussion en privé, tu ne crois pas ?

Ludo fut surpris que son père fasse preuve de tant de sollicitude à son égard.

— Je suis d'accord, concéda-t-il avec un haussement d'épaules. Inutile de l'impliquer dans nos éventuels désaccords.

Alekos secoua la tête avec dépit, comme s'il ne pouvait croire ce qu'il venait d'entendre.

— Suis-je un tel monstre que tu t'attendes toujours à ce que l'atmosphère devienne irrespirable en ma présence ? Si c'est le cas, sache que je le regrette sincèrement.

Ludo fut stupéfait de voir une larme rouler sur la joue burinée du vieil homme. Il n'avait jamais vu son père pleurer, ni même montrer la moindre émotion. Qu'est-ce qui était en train de se passer, bon sang ?

— Tu devrais me dire ce que tu as sur le cœur, Père, tu n'es pas venu jusqu'ici sans raison, j'imagine ?

Alekos reposa sa tasse sur la table, puis poussa un profond soupir avant de croiser les mains.

— Je suis venu te dire que je t'aime, mon fils. Je suis venu m'excuser de ne pas te l'avoir dit plus tôt. Ta mère et moi avons eu une longue discussion après ta venue… et elle m'a prouvé à quel point je m'étais montré obtus, à quel point j'avais été aveugle. Mais si j'ai agi ainsi, c'était par peur… de te perdre.

— Comment ça, me perdre ?

Le regard sombre d'Alekos vint rencontrer le sien.

— Tu ne l'as jamais su, mais tu es né prématuré et nous avons failli te perdre à la naissance. Les médecins ont travaillé d'arrache-pied pour te sauver. Certains jours, tu semblais tiré d'affaire, mais le lendemain…

La voix de son père se brisa et il dut prendre quelques secondes avant de poursuivre.

— Le lendemain, nous devions nous préparer au pire. Les médecins nous ont prévenus que même si tu survivais, tu ne serais jamais d'une nature très résistante. Mais tu t'en es tiré et lorsque nous t'avons ramené à la maison, ta mère a veillé sur toi nuit et jour comme une oiselle sur son petit. Pour je ne sais quelle raison, je me suis convaincu que c'était ma faute si tu étais si faible, que c'était dans mes gènes. Je ne voyais pas d'autre explication, Théo était si fort !

Alekos se leva et s'épongea le front avec son mouchoir.

— Ma logique était totalement biaisée, je m'en rends compte à présent. Ta mère avait coutume de dire que Théo avait la force et la résistance et toi la beauté et l'intelligence. J'aurais aimé te voir ainsi lorsque tu étais enfant, Ludovic, parce que ta mère avait vu juste, même si au final, je me moque que tu sois beau, fort, intelligent… Tout ce qui importe, c'est que je suis fier de toi et que je t'aime avec autant de force que j'aimais ton frère. J'aimerais que tu pardonnes à un vieil homme ses erreurs du passé, j'aimerais que tu l'autorises à avoir une relation saine avec son fils bien-aimé.

Ludo était déjà debout. Il fit le tour de la table pour prendre son père dans ses bras. C'était comme si, dans son âme, un barrage venait soudain de se rompre, libérant un fleuve d'émotions réprimées.

Enfin, il pouvait respirer librement.

— Il n'y a rien à pardonner, Père. Moi aussi j'ai commis une grave erreur en imaginant que tu aimais plus mon frère que moi. Moi aussi je suis borné parfois et il m'arrive de persister dans mes erreurs. Je regrette d'avoir fui après la mort de Théo. Je m'étais convaincu que tu n'avais pas de temps à me consacrer, que mes réussites ne pesaient pas lourd en regard des siennes. En restant près de vous, j'avais peur de jeter du sel sur une plaie béante.

— Théo serait atterré de voir deux têtes de mule comme nous perdre autant de temps pour rien, non ?

Ludo recula en souriant et asséna une bourrade affectueuse à son père.

— Ça ne fait aucun doute, mais il serait ravi de nous voir nous réconcilier et maman le sera aussi quand elle l'apprendra. Rien ne me ferait plus plaisir que de savoir qu'elle n'a plus à s'inquiéter à notre sujet.

— J'aimerais te poser une question…

— Je t'écoute.

Les vieux réflexes avaient la peau dure et Ludo ne put s'empêcher de se raidir en imaginant le pire.

— Je voulais te parler de Margaritari, ton île. Qu'as-tu l'intention d'en faire ? Cela fait bien longtemps que personne n'a eu le droit d'y poser le pied et je trouve dommage de laisser tomber en ruine un endroit aussi magnifique alors qu'il pourrait apporter du bonheur à beaucoup de monde. Tu ne dois pas t'interdire de t'amuser à cause de ce qui est arrivé à Théo.

— C'est vrai que l'île me manque. C'est un endroit unique au monde et lorsque, gamins, nous y allions, Théo et moi, nous avons tout de suite eu ce sentiment. C'est pour cette raison que le jour où j'en ai eu les moyens, j'en ai fait l'acquisition.

Alekos demeura quelques instants songeur.

— Alors retournes-y. Emmène Natalie et forgez-vous de nouveaux souvenirs, cela t'aidera à chasser les douleurs du passé. Il vaut ce qu'il vaut, mais je te conseille de suivre mon conseil, fils.

Ludo partageait son avis, mais il avait quelque chose d'important à faire auparavant, quelque chose qui nécessitait l'achat d'une bague de fiançailles.

Alekos sembla lire dans son esprit car il le prit affectueusement par les épaules.

— Allons retrouver ta merveilleuse fiancée ! Je veux qu'elle voie que nos différends sont derrière nous. Je veux aussi lui dire que je suis fier de toi, car tu as choisi ta magnifique compagne avec ton cœur et non avec ta tête. Tiens, ça me fait penser… vous ne deviez pas aller acheter une bague, aujourd'hui ?

— Oui, et c'est toujours prévu.

— Parfait. Dans ce cas, je propose qu'on se revoie ce soir. Vous pourrez nous montrer la bague et on fêtera ça.

Natalie fut aux anges de voir revenir Ludo et son père bras dessus, bras dessous, libérés de toutes les tensions passées. Les deux hommes lui expliquèrent qu'ils étaient décidés à passer à autre chose, et tout en dégustant un café et des baklavas, elle découvrit qu'Alekos Petrakis était doté d'un solide sens de l'humour. Il la régala en outre de ses récits d'enfance ainsi que de quelques anecdotes croustillantes.

— Je n'ai pas toujours été le citoyen modèle que je suis aujourd'hui ! confessa-t-il en riant.

Natalie savoura sa compagnie et ses plaisanteries, mais sans parvenir à se départir d'une légère inquiétude ; en effet, il semblait évident qu'aux yeux d'Alekos, Natalie allait passer le reste de sa vie avec Ludo, et elle détestait l'idée des souffrances que ne manquerait pas de provoquer ce mensonge. Comment réagiraient-ils, lui et sa charmante épouse, en découvrant que Ludo les avait dupés ? Dès qu'ils auraient quitté la Grèce, elle retournerait travailler avec sa mère et ne reverrait sans doute jamais le beau milliardaire dont elle était désormais secrètement amoureuse.

Alekos les quitta en leur faisant promettre de passer les voir pour leur montrer la bague de fiançailles. Natalie eut presque la nausée ; elle se sentait tellement coupable !

Son humeur contrastait avec celle de Ludo, qui rayonnait d'une joie inhabituelle.

— Tu ferais quelque chose pour moi ? lui demanda-t-il en la prenant dans ses bras après avoir fait de grands gestes d'adieu à Alekos.

— Dis-moi..., répondit-elle, la gorge serrée.

— Je voudrais que tu montes mettre quelque chose de beau, lui demanda-t-il, le regard pétillant de malice, comme si plus rien d'affreux ne pouvait leur arriver. Peut-être pourrais-tu porter cette jolie robe que tu avais le soir de notre arrivée ? J'aimerais que nous nous prenions en photo, tous les deux, quand nous aurons acheté cette bague.

Natalie cilla, incrédule.

— Tu ne crois pas que cette mascarade va un peu trop loin ?

— Je ne te comprends pas.

— Tu veux vraiment continuer à jouer le gentil petit

couple ? Ton père aura le cœur brisé quand il apprendra la vérité, et je refuse d'être responsable de ça. C'est un homme bien et tu viens de te réconcilier avec lui après des années de brouille. Comment crois-tu qu'il va réagir en comprenant que tu t'es moqué de lui pendant tout ce temps ?

Ludo lui lâcha la taille, comme s'il venait d'être mordu par un serpent, et son regard se fit aussi dur que l'acier.

— Dois-je te rappeler une nouvelle fois les termes de notre contrat ?

— Je n'ai rien oublié du tout, Ludo, répondit-elle dans un murmure, le cœur cognant contre sa poitrine. J'ai promis de jouer le rôle de ta fiancée jusqu'à ce que cela devienne intenable. C'est exactement ce qui est en train de se produire : c'est devenu impossible pour moi de continuer.

La tête haute, mais le cœur serré dans un étau, elle gravit les marches de l'escalier de marbre sans lui accorder le moindre regard.

# 12.

La porte de la chambre s'ouvrit à la volée au moment où Natalie posait sa valise sur son lit pour faire ses bagages. Elle essuya à la va-vite les larmes qui lui embuaient le regard avant de se tourner vers Ludo qui se tenait dans l'encadrement de la porte, les bras croisés sur la poitrine, un sourire énigmatique aux lèvres.

— Je ne vois pas ce que tu peux trouver amusant dans cette situation ! s'emporta-t-elle. Si tu prends tout ça à la légère, c'est que je me suis lourdement trompée à ton sujet.

— Tu estimes que mon père est un homme bon et qu'il sera blessé lorsqu'il découvrira la vérité, il n'y a rien d'amusant là dedans.

— Alors qu'est-ce qui te fait sourire ?

Natalie était en pleine détresse et n'attendait qu'une chose : sauter dans le premier avion pour l'Angleterre et prendre un peu de temps pour réfléchir sur elle-même et sur ses propres erreurs de jugement.

Ludo traversa la pièce et avança lentement dans sa direction. Lorsqu'il fut à moins d'un mètre, Natalie perçut son parfum et sentit sa détermination vaciller. Comment pourrait-elle supporter de ne jamais le revoir ? Ce n'était pas une simple passade, elle éprouvait pour lui des sentiments profonds, et ce, malgré le fait qu'il se soit servi d'elle pour arriver à ses fins auprès de ses parents. Peu lui importait leur arrangement initial.

Désormais, elle ne pouvait pas continuer à mentir de cette façon, à se mentir à elle-même.

— Tu as pleuré, observa-t-il.

Comment faisait-il pour ne rien perdre de son charme, quelles que soient les circonstances ?

— Oui, j'ai pleuré.

Elle prit un mouchoir dans sa poche.

— Pourquoi ?

— Tu n'en as pas une petite idée ? Je pleure parce que tu avais raison, Ludo. C'est vrai, cela va me briser le cœur de te quitter et de quitter ce pays. Je ne voulais pas repartir aussi vite, mais je vais y être forcée. Je croyais être capable de remplir ma part du contrat, mais je ne peux pas… pas après avoir compris à quel point ta mère tenait à cette union, pas après avoir écouté ton père tout à l'heure et m'être rendu compte à quel point il t'aimait. Je ne peux pas aller plus loin, je ne suis pas une mercenaire et je refuse de faire du mal aux gens. Si tu veux me poursuivre pour non-respect du contrat, ne te gêne pas, je ne peux rien faire pour t'en empêcher.

— Est-ce que tu es sincère quand tu dis que cela te brisera le cœur de me quitter ?

Ludo sembla stupéfait de cette confession. Il approcha un peu plus près, le sourire aux lèvres. Natalie, rougissante, déglutit avec peine.

— Oui. Je ne cherche pas à te mettre mal à l'aise, mais oui, je le pense vraiment.

— Comment veux-tu me mettre mal à l'aise en m'avouant une chose aussi incroyable ?

— Je ne veux pas que tu te sentes obligé de répondre quoi que soit. Je m'en veux déjà suffisamment de faire souffrir les autres par mon incapacité à remplir ma part du marché.

— Tu veux parler de mes parents ?

— Bien sûr que je veux parler de tes parents !

— Et moi, Natalie ? Tu ne crois pas que je vais en

souffrir aussi ? Que je vais souffrir de te voir rompre notre contrat et refuser de devenir ma fiancée ?

— Tu veux dire *faire semblant* de devenir ta fiancée.

— Non, je ne parle pas de cela.

Il se rapprocha encore davantage, au point qu'elle sentit son souffle chaud sur sa peau. Elle admira une nouvelle fois la perfection de ce visage qui lui faisait battre le cœur et que peut-être elle ne reverrait jamais.

Elle prit alors la mesure de ce qu'il venait de lui dire.

— Tu veux bien répéter ?

— J'ai dit que je ne voulais plus que tu joues le rôle de ma fiancée. Je veux lier mon existence à la tienne.

— Tu... tu plaisantes ?

— Pas du tout. Je veux de véritables fiançailles, puis un vrai mariage. Je n'ai jamais été aussi sérieux, Natalie.

Il prit délicatement son visage entre ses mains et l'embrassa avec passion. Que pouvait-elle faire, sinon répondre à ce doux assaut ? Les leçons érotiques qu'il lui avait prodiguées l'avaient rendue dépendante de sa peau, de ses baisers si lents et si envoûtants qu'elle en perdait le fil de ses pensées. Lorsqu'il lui faisait l'amour, elle en oubliait jusqu'à son propre nom.

Lorsque leurs lèvres se séparèrent, Ludo la tenait par la taille. Le vertige qui l'avait saisi était tel que sans lui, elle aurait sans doute vacillé.

— Tu es sûr que ce n'est pas une de tes plaisanteries ? demanda-t-elle d'une voix hachée, tout en plongeant dans l'océan de son regard hypnotique.

— Non, ce n'est pas une plaisanterie, je ne suis pas cruel à ce point. Je pense sincèrement ce que je viens de te dire, je ne veux pas de fausses fiançailles, Natalie, je te veux pour épouse. Alors inutile de t'inquiéter au sujet de mes parents puisque je te veux pour femme, *agape mou*. Et lorsque je t'achèterai ta bague de fiançailles, cet après-midi, ce sera bien réel.

— Pourquoi voudrais-tu faire une chose pareille ?

— Tu as vraiment besoin de me poser cette question ? Tu n'as pas une petite idée ? Je t'aime, Natalie, avoua-t-il dans un soupir, je t'aime de tout mon cœur, de toute mon âme et je ne peux pas supporter l'idée de vivre sans toi. Voilà pourquoi je veux t'épouser.

L'espace d'une éternité de secondes, Natalie demeura sous le choc de sa déclaration. Puis, peu à peu, elle rassembla ses pensées et lui effleura la joue en souriant.

— Je t'aime moi aussi, Ludo. Tu es entré dans ma vie comme un ouragan et tu as bouleversé toutes mes certitudes. Je sais que c'est grotesque, mais je m'étais plus ou moins résignée à passer seule le reste de mon existence, car je ne pouvais pas imaginer me marier sans qu'un amour profond réciproque et sincère existe.

— C'est aussi ce que je pense. Je désespérais de trouver celle qui serait à la fois mon amie, ma compagne et ma maîtresse. Ma plus grande hantise était que l'on m'épouse pour mon argent.

— Je n'aurais jamais fait une chose pareille ! Je suis de la vielle école, à mes yeux, nous avons tous une âme sœur, c'est écrit dans les étoiles, avoua-t-elle en rougissant de son côté fleur bleue. Je pense que nous étions destinés à nous rencontrer dans ce train. Et quel hasard que tu sois justement le repreneur de l'entreprise de mon père ! Je me montre souvent pragmatique et les gens ont tendance à se faire une fausse idée de moi. Mais c'est un mécanisme de survie. Lorsque mon père nous a quittées, ma mère et moi, j'ai dû être soutien de famille et gérer l'entreprise familiale pour que nous ne sombrions pas dans la pauvreté. Je suis pourtant restée une incorrigible romantique. Bref… l'histoire de mes parents m'a enseigné très tôt que l'argent ne garantit pas le bonheur…

Ludo lui releva le menton pour déposer sur ses lèvres un baiser bref mais impétueux et fut satisfait de la voir rougir encore une fois.

— Tu te souviens, je t'ai dit un jour que tu avais une voix excitante ? J'adore t'écouter parler, *glykia mou*, mais nous avons rendez-vous chez un ami joaillier de Lindos. Il va fermer sa boutique pour nous permettre de choisir en toute tranquillité ta bague de fiançailles. C'est un créateur très demandé et il réalisera le bijou parfait pour toi. Cela prendra quelques semaines, mais en attendant, j'ai l'intention de t'offrir une belle bague que tu puisses porter dès aujourd'hui, afin que le monde entier sache que nous allons nous marier. Si on se mettait en route ?

— Ça va coûter une fortune, Ludo ! Un simple anneau fera très bien l'affaire.

Il l'embrassa encore et lui pinça affectueusement la joue.

— Dans mon monde, aucune femme ne t'arrive à la cheville, mon amour. Pour la plupart, elles gravitent autour d'hommes qui pourront leur garantir le niveau de vie qu'elles pensent mériter, mais elles se moquent de savoir si ce sont des types bien ou s'ils ont vraiment des sentiments pour elles… tant qu'ils sont riches. Toi, je sais que tu m'aimes pour ce que je suis, pas pour le confort matériel que je peux t'offrir. Alors j'aimerais te faire ce cadeau aujourd'hui.

— Si c'est si important pour toi, d'accord.

— Parfait.

— Est-ce que je peux te demander quelque chose ? C'est un sujet que nous n'avons jamais abordé.

Il acquiesça.

— Qu'est-ce qui te tracasse ? demanda-t-il en lui caressant les hanches.

C'était une question difficile à poser et elle craignait la réponse de Ludo.

— Est-ce que… est-ce que tu as eu beaucoup de maîtresses avant moi ?

— Non, pas beaucoup. Aucune d'entre elles ne m'a

laissé de souvenir mémorable. Ce n'étaient pas les meilleurs choix que j'ai faits dans ma vie, mais je n'ai pas envie de remuer le passé, Natalie. Je préfère vivre pleinement l'instant présent avec la femme magnifique qui se tient devant moi, la femme qui m'a fait le cadeau miraculeux de m'avouer son amour et qui ne supporterait pas de vivre loin de moi.

— C'est vrai, concéda-t-elle en se dressant sur la pointe des pieds pour lui embrasser la joue. Je t'aime de tout mon cœur, et si tu tiens tant à cette photo de nous deux, je vais enfiler la robe que tu aimes tant et me coiffer un peu.

— Natalie ?

— Oui ?

— Tu veux bien aller dans la salle de bains pour te changer, plutôt qu'ici ? Parce que je crains de ne pas résister à la tentation de t'aider à te déshabiller.

— Si tu fais ça, nous ne serons jamais à l'heure chez le joaillier !

— Tu as raison, occupons-nous de cette urgence-là, nous gérerons l'autre sans tarder…

A contrecœur, Ludo la libéra en la couvant de ce regard lascif qu'elle avait appris à aimer.

L'air était chargé d'odeurs enivrantes, exactement comme dans son souvenir, et bruissait du travail des insectes. Pas le moindre bruit parasite sur cette île vierge de toute circulation, que l'on ne pouvait atteindre que par bateau. S'il y avait un endroit sur terre où l'on pouvait se détendre et oublier les tensions du quotidien, c'était bien Margaritari.

Ludo avait suivi le conseil de son père et était retourné sur l'île pour se forger de nouveaux souvenirs, Natalie avec lui. Il avait confié à Alekos que sa rencontre avec elle ferait sans aucun doute de lui un homme meilleur et qu'il espérait parvenir à fonder un couple aussi heureux et durable que celui de ses parents.

Ludo marchait pieds nus sur le sable clair de cette plage en forme de croissant de lune. Il contemplait l'océan azuréen et ses eaux calmes qui venaient lécher le rivage, tout en priant pour que l'avenir lui sourie. Maintenant qu'il s'était réconcilié avec son père et était amoureux de la plus belle femme du monde, l'univers pouvait bien continuer sa course folle…

Natalie était restée dans l'élégante petite résidence qu'il avait fait construire et téléphonait à son propre père. La tradition exigeait que Ludo fasse sa demande en bonne et due forme, mais Natalie avait tenu à s'entretenir d'abord en privé avec Bill Carr pour lui expliquer les raisons qui la poussaient à l'épouser. Ils étaient follement amoureux l'un de l'autre, c'était aussi simple que ça.

Il espérait que Bill ne tenterait pas de la convaincre de renoncer à cette union sous prétexte que Ludo n'était pas digne de confiance, qu'il la manipulait, ou Dieu sait quoi… Il chassa ses sombres pensées en maudissant ce réflexe stupide qui le poussait à se méfier de tout et de tout le monde.

Le regard perdu sur l'horizon incandescent, il repensa avec tristesse à son frère Théo. Il était mort trop jeune et de façon tragique, mais Ludo savait que, où qu'il soit, il approuvait les récentes évolutions de son existence. Il avait la certitude que Théo veillait sur lui.

— Ludo !

Il se retourna en entendant cette voix qui le faisait frissonner comme nulle autre et pria pour qu'elle lui apporte de bonnes nouvelles. Elle courut vers lui, pieds nus sur le sable, magnifique dans le sarong bleu-vert qu'il avait acheté à son intention au marché de Lindos, ses longs cheveux cascadant sur ses épaules telle une rivière baignée de soleil.

Elle tenait dans sa main un bouquet de lavande et de laurier-rose. Lorsqu'elle l'eut rejoint, il résista à la tentation de la prendre dans ses bras et lui laissa le temps de reprendre son souffle.

— Il nous donne à tous les deux sa bénédiction et il dit que tu peux l'appeler tout à l'heure quand… nous serons de retour à la résidence. Il m'a demandé de te dire que tu étais un homme chanceux, très chanceux, ajouta-t-elle, un sourire dans le regard.

— Comme si je ne le savais pas déjà !

Il la prit contre lui en humant le bouquet qu'elle avait confectionné pour lui.

— Alors comme ça, il nous donne sa bénédiction et ne voit pas d'obstacle à ce que tu deviennes Mme Ludo Petrakis ?

— Aucun, si c'est mon souhait. Il va même rendre visite à ma mère demain pour lui annoncer la nouvelle en personne. Il semble qu'elle l'ait invité à dîner. J'imagine que c'est une bonne nouvelle que le contact soit rétabli entre eux… Bref. A ses yeux, cela lui semble logique d'annoncer ça à Maman.

— A t'entendre, il a l'air en forme. Comment va sa santé ?

— Mieux. Tu n'imagines pas à quel point cela l'a aidé que tu acceptes d'augmenter ton prix de rachat. Il déborde d'idées, de nouveaux projets, j'espère juste qu'il ne va pas encore se tuer à la tâche.

— Et pourquoi m'avoir apporté ces fleurs, *agape mou* ? Il y en a partout autour de nous si tu veux les admirer, sur la côte et même dans le jardin.

— Je sais, c'est là que je les ai cueillies. En fait, j'avais dans l'idée de dire une petite prière pour ton frère et de les jeter à la mer en souvenir de lui, murmura-t-elle. Est-ce que ça t'ennuie ?

— Si ça m'ennuie ? répéta Ludo, effaré qu'elle puisse même l'envisager. Cela te ressemble tellement, ce genre de petite attention ! Je suis fier de te connaître, Natalie, et encore plus fier que tu sois bientôt ma femme.

— Alors allons-y !

Elle se libéra de son étreinte et vint s'agenouiller au bord de l'eau.

— Souvenons-nous de Théo Petrakis, commença Ludo en s'agenouillant près d'elle.

Ils entamèrent alors une prière en grec. Ludo prononça les mots qu'il traduisit à Natalie. Lorsque cela fut fait, il lui fit signe de jeter le bouquet à l'eau et une à une, les fleurs gagnèrent le large…

Leur séjour sur l'île fut comme une lune de miel. Chaque soir, après avoir fait l'amour avec l'homme de ses pensées, Natalie tombait dans un profond sommeil, au creux de ses bras. Le matin, elle courait sur la plage se baigner dans une eau qui n'avait pas encore été chauffée par le soleil, puis elle revenait prendre le petit déjeuner en terrasse avec Ludo.

Cela faisait maintenant une semaine qu'ils avaient pris pied sur l'île et Ludo avait perdu le cynisme qu'il arborait depuis leur rencontre. C'était comme s'il rajeunissait un peu plus chaque jour. Il avait cessé de froncer les sourcils comme s'il portait la misère du monde sur les épaules. Elle nageait en plein bonheur.

Assis face à elle de l'autre côté de la table, Ludo abaissa ses lunettes de soleil et la fixa de ses yeux couleur saphir.

— Qu'est-ce qu'il y a ?

— J'étais en train de me dire que tu paraissais beaucoup plus détendu que lors de notre première rencontre. Je pense que cet endroit doit avoir des propriétés magiques.

— Oui, c'est un coin de paradis. Il m'arrive souvent

d'oublier que cette île m'appartient et je mesure alors mon bonheur.

Ludo se redressa sur sa chaise et se recoiffa d'un geste vif, comme s'il venait de prendre une importante décision.

— C'est même un lieu si paradisiaque que j'ai décidé qu'il était égoïste d'en réserver l'accès à ma famille et à mes amis. J'envisageais d'y faire construire d'autres bâtiments pour que les enfants malades des îles alentour et leurs parents puissent venir s'y reposer le temps de leur convalescence. Ce serait gratuit, évidemment. Je me disais que je pourrais mettre sur pied une fondation qui porterait le nom de Théo. Qu'est-ce que tu en dis ?

— Ce que j'en pense ? s'exclama Natalie avec enthousiasme. Que c'est une idée formidable ! Est-ce que je pourrais te donner un coup de main ? Je ne travaillerai plus au gîte après notre mariage et j'aimerais me rendre utile dans un projet auquel je crois.

— Bien sûr que tu pourras m'aider. En tout cas… jusqu'à ce que nous ayons notre premier enfant. J'ai la conviction qu'un enfant a besoin de la présence de sa mère pour grandir dans de bonnes conditions, si elle a la possibilité de se rendre disponible, bien entendu. Qu'en dis-tu, *glykia mou* ?

— Je suis d'accord, confirma-t-elle en se penchant par-dessus la table pour lui prendre la main, je veux être présente pour tous nos enfants. Mais leur père devra être là aussi pour eux, autant que son emploi du temps le permettra.

Ludo lui prit la main en souriant et la fit pivoter pour déposer un baiser au creux de sa paume.

— Alors nous sommes d'accord. Mais je t'ai bien entendue parler de plusieurs enfants ? Tu envisages donc d'en avoir plus d'un ou deux ?

— Je me disais que trois ou quatre serait un bon chiffre.

— Alors je me dis que je vais être un homme très occupé pendant les années qui viennent, si tu planifies ce genre de bouleversement dans nos vies. Nous devrions nous y mettre tout de suite, si on ne veut pas prendre de retard !

collection *Azur*

# Ne manquez pas, dès le 1er avril

***PIÉGÉE PAR LE DÉSIR**, Kelly Hunter* • N°3455

Lorsque son meilleur ami et associé lui propose un mariage de convenance afin de pouvoir toucher son héritage — un héritage qui leur permettra de financer l'ambitieux projet qu'ils ont pour leur petite entreprise —, Evie n'hésite guère avant d'accepter. Hélas, à peine a-t-elle franchi le seuil de la maison dans laquelle se déroulera leur fête de fiançailles, qu'elle sent son sang se glacer. Car l'homme qui la foudroie du regard et qu'on vient de lui présenter comme le frère de son futur époux, n'est autre que Logan Black. L'homme avec lequel elle a vécu une aventure tumultueuse et passionnée dix ans plus tôt. L'homme qu'elle a tout fait pour oublier sans jamais y parvenir...

***RENDEZ-VOUS AVEC UN PLAY-BOY**, Carole Mortimer* • N°3456

Play-boy & Milliardaire

Quand elle apprend que sa belle-mère a vendu Bartholomew House, Gemini est furieuse. Non seulement cette décision lui brise le cœur, mais elle la remplit d'un profond sentiment d'injustice : son père ne lui avait-il pas promis de lui léguer la demeure familiale où elle a passé toute son enfance ? Aussi est-elle déterminée à convaincre le nouveau propriétaire de Bartholomew House, Drakon Lyonedes, un homme d'affaires aussi séduisant qu'implacable, de lui revendre la maison. Mais lorsque Drakon lui propose d'en discuter autour d'un dîner en tête-à-tête — chez lui... — Gemini sent la panique l'envahir. S'il entreprend de la séduire, saura-t-elle résister et rester concentrée sur son objectif : sauver son héritage ?

***AU BRAS DE SON ENNEMI**, Caitlin Crews* • N°3457

Comment a-t-elle pu être assez stupide pour se laisser embrasser, publiquement, par Ivan Korovin, le célèbre acteur qu'elle a décrit dans son livre comme un homme sans morale et sans scrupules ? Pire, elle s'est littéralement *abandonnée* à son baiser ! Si Miranda ne veut pas perdre toute crédibilité et voir sa carrière détruite, elle va devoir accepter le marché que lui propose Ivan : elle l'aidera à réhabiliter son image en jouant, elle sa plus farouche ennemie, la comédie de l'amour devant les caméras ! En échange, il lui confiera tout ce dont elle a besoin pour écrire un nouveau best-seller. Mais bientôt, Miranda doit se rendre à l'évidence : elle va avoir bien du mal à maîtriser ce qu'elle ressent face à cet homme qu'elle croyait détester...

*L'ENFANT D'UNE SEULE NUIT, Chantelle Shaw* • *N°3458*

Céder à la passion entre les bras de Drago Cassari, cet homme aussi troublant que ténébreux ? Jess n'aurait pu commettre pire erreur, elle le sait. N'avait-elle pas juré de se protéger des séducteurs dans son genre ? Mais, quand elle découvre, quelque temps plus tard, qu'elle est enceinte après cette brûlante nuit d'amour, Jess comprend que sa situation est bien plus terrible qu'elle ne le pensait. Car Drago ne voit en elle qu'une aventurière. Pire, il semble la croire coupable d'avoir volé une importante somme d'argent à sa famille. Dans ces conditions, comment imaginer un avenir avec cet homme qui ne dissimule rien du mépris qu'il a pour elle ?

*LE PRIX DE LA PASSION, Trish Morey* • *N°3459*

Luca Barbarigo. L'homme qui l'a cruellement rejetée trois ans plus tôt, après une nuit d'amour aussi magique qu'inoubliable… et qui tient aujourd'hui le destin de sa famille entre ses mains. Si elle veut éviter à celle-ci la ruine et la honte, Valentina doit en effet convaincre Luca d'effacer les dettes de sa mère. Mais lorsqu'il lui annonce ses conditions, elle sent son sang se glacer. C'est elle qu'il veut, dans sa vie et dans son lit, et pendant tout un mois. Un marché odieux, mais surtout terrifiant. Car si elle veut à tout prix aider sa famille, Valentina peut-elle pour autant prendre le risque d'avoir une nouvelle fois le cœur brisé par cet homme sans pitié ?

*TROUBLANTES FIANÇAILLES, Kate Walker* • *N°3460*

Du chantage ! Comment qualifier autrement l'ultimatum que Jake Taverner vient d'adresser à Mercedes ? Elle devra faire croire qu'ils sont fiancés, faute de quoi il révèlera qu'elle a failli commettre l'irréparable entre ses bras. Un instant, Mercedes a la tentation de refuser : elle déteste de toute son âme ce play-boy qui n'a pas hésité à la séduire, quelques semaines plus tôt, alors qu'il était engagé auprès d'une autre femme. Mais comment le pourrait-elle, sans risquer de blesser cruellement ses parents, si attachés au qu'en dira-t-on ? A contrecœur, elle se résout donc à jouer cette odieuse comédie. Une résignation qui se change en angoisse lorsqu'elle comprend que Jake a bien l'intention de profiter de ces fausses fiançailles pour faire d'elle sa maîtresse...

*UNE TENTATION INTERDITE, Dani Collins* • *N°3461*

Depuis toujours, Rowan O'Brien représente le fruit défendu pour Nico. Rowan, la femme dont les traits délicats et les courbes voluptueuses hantent ses longues nuits d'insomnie, mais aussi la seule femme qui lui soit interdite. Non seulement parce que son propre père considérait Rowan comme la fille qu'il n'avait jamais eue, mais aussi parce qu'il déteste l'homme brûlant de désir et impulsif qu'il devient en sa présence. Pourtant, lorsque la mort de leurs parents les oblige à cohabiter, le temps de régler la succession, Nico sent ses résolutions vaciller. Pourquoi ne pas céder à la tentation, juste une fois, et prendre tout ce que son désir exige, avant que leurs chemins ne se séparent définitivement ?

*UN SECRET ARGENTIN, Jennie Lucas* • *N°3462*

Laura est révoltée. Comment Gabriel Santos ose-t-il exiger qu'elle l'accompagne à Rio de Janeiro pour conclure une importante affaire, alors qu'elle ne travaille plus pour lui depuis un an ? A l'époque, elle avait voulu croire que leur incroyable nuit d'amour avait du sens pour lui, mais au matin, devant sa froideur, elle avait compris l'étendue de son erreur. Terriblement blessée, elle avait ensuite préféré lui cacher sa grossesse et disparaître à tout jamais. Aujourd'hui pourtant, elle n'a pas le choix. Pour élever leur fils, elle a terriblement besoin de l'argent que Gabriel lui offre pour cette dernière mission. Mais en le suivant à Rio, ne prend-elle pas un risque insensé : qu'il découvre son précieux secret ?

*L'ORGUEIL D'UN SÉDUCTEUR, Mélanie Milburne* • *N°3463*

*- Héritières Secrètes - 1ère partie*

Emilio Andreoni est abasourdi. Giselle avait une sœur jumelle ? Impossible ! Et pourtant, cela expliquerait tant de choses : ses protestations, deux ans plus tôt, lorsqu'il l'a accusée de l'avoir trompé ; ses larmes - qu'il avait alors prises pour une preuve de plus qu'elle n'était qu'une excellente actrice, déterminée à se jouer de lui – lorsqu'il a rompu leurs fiançailles et l'a chassée de sa vie à tout jamais. Aujourd'hui, Emilio a la preuve qu'il s'est cruellement trompé. Et il se jure qu'il n'aura désormais plus qu'un but : retrouver Giselle Carter, la femme qu'il a failli épouser et qui continue à hanter ses nuits. Puis, la convaincre, par *tous* les moyens, de reprendre leur relation là où elle s'est arrêtée...

*CONQUISE PAR UN MILLIARDAIRE, Carol Marinelli* • *N°3464*

*- La fierté des Corretti - 1ère partie*

Depuis qu'elle travaille pour Santo Corretti, Ella n'a plus une seconde à elle. Jour et nuit elle se tient prête à répondre à tous ses désirs. Enfin… presque tous. Car elle a toujours tenu à ce que leur relation demeure strictement professionnelle. N'a-t-elle pas vu trop de cœurs brisés par ce play-boy impénitent ? Mais aujourd'hui, alors que le scandale frappe la puissante famille Corretti, Ella découvre un autre visage de Santo. Une facette de sa personnalité qui la bouleverse si intensément qu'elle cède à la passion entre ses bras. Une expérience aussi magique que terrifiante. Car si elle ne peut être qu'une maîtresse de plus pour cet homme qui refuse tout engagement, elle sait qu'elle sera, quant à elle, marquée à tout jamais par cette nuit inoubliable...

Composé et édité par les

*éditions* HARLEQUIN

Achevé d'imprimer en février 2014

La Flèche

Dépôt légal : mars 2014

*Imprimé en France*